D1044445

COLOMB
D'OUTRE-TOMBE

COLOMB D'OUTRE-TOMBE

Les aventures de Samek et Boulet

Michel Savage

Les éditions Héritage inc.

Données de catalogage avant publication (Canada)

Savage, Michel
Colomb d'outre-tombe

(Collection Échos, Niveau III)
Pour les jeunes.

ISBN: 2-7625-6841-2

I. Titre   II. Collection
PS8587.A92C64 1992   j813'.54   C92-096361-7
PS9587.A92C64 1992
PZ23.S28Co 1992

Conception graphique de la couverture : Untel et Untel
Illustration de la couverture : Pierre-Paul Parizeau

© Les Éditions Héritage Inc. 1992
Tous droits réservés

Dépôts légaux : 4e trimestre 1992
Bibliothèque nationale du Québec
Bibliothèque nationale du Canada

ISBN: 2-7625-6841-2   Imprimé au Canada

LES ÉDITIONS HÉRITAGE INC.
300, Arran, Saint-Lambert (Québec) J4R 1K5
(514) 875-0327

À Pierre.

Préface

Imaginez! Le soleil, la chaleur des Caraïbes, un voilier qui se balance mollement sur les vagues... le rêve, quoi! Pas tout-à fait: Samek et Boulet débarquent avec tout un attirail de plongée, des bâtons de dynamite et un mystérieux fragment de stèle dont il faut absolument retrouver les autres morceaux. Quant au bateau, c'est une ruine flottante qui empeste l'huile et avance par habitude. Petit voyou des îles, Nappie s'impose; il manque d'intelligence et d'envergure mais sème la pagaille autour de lui. Il y a aussi Bilodo et sa conjointe, Miah le trafiquant loyal, Kino le tueur aux yeux vides, les professeurs Hartsnkrafts et de Monte-Christi ainsi que plusieurs bureaucrates zélés que Samek aimerait bien effacer de la carte...

Mais surtout, le fantôme d'un certain Grand Amiral de la Mer Océane plane avec insistance sur toute cette histoire, triomphant des ouragans de l'histoire, des mensonges du temps et des querelles des hommes. Par-delà la mort et les siècles, Christophe Colomb — nul autre que lui — attend sa dernière conquête. Par la force de son charisme, il épanche son vieux coeur en poussière avant de se laisser posséder par la mer, son éternelle amante, dans une ultime tempête.

Rien de banal chez les deux personnages principaux! Samek Garnotte est Montagnaise, professeur dans une université, archéologue réputée et passionnée, dont les méthodes sont pour le moins explosives. Boulet — Éphraise Laframboise — est une ancienne étoile du hockey, au lancer fracassant, dont la rotule s'est inclinée sous les tentacules d'une pieuvre. Courage, persévérance, intelligence, créativité et loyauté les accompagnent. Mélange subtil de complicité, de familiarité, de fidélité et d'amour inavoué, leur amitié est irréprochable. Tant pis pour les stéréotypes!

Ce roman d'aventures est une invitation au voyage, un itinéraire à la voile dans des eaux trompeuses, une plongée dans le temps et dans l'histoire à la poursuite d'une vérité oubliée, dans un décor tendre et violent où le quotidien et le surnaturel se chevauchent. Alimentée aux plus récentes sources, la recherche historique sur laquelle tout ce récit repose est passionnante et combien enrichissante.

Tout comme ses deux héros, Michel Savage est un homme de notre temps, fasciné par les mystères du passé. Grand voyageur, marin à ses heures, féru d'histoire, journaliste, il sait de quoi il parle. Son humour décapant traque les ridicules et la bêtise. Point d'hypocrisie dans sa façon de brosser le décor et de camper ses personnages. Il distille son intrigue avec une progression dramatique constante et un bonheur d'écrire sensible à chaque page. Savant dosage entre le documentaire historique et la fiction, son roman nous embarque dans une aventure qui nous tient captifs tout en alimentant la part de rêve qui sommeille en nous.

Bonne lecture!

ANGÈLE DELAUNOIS

Chapitre 1

Ce soir-là de fin d'août, une sinistre zone d'orages avançait sur la ville amortie par l'humidité.

Des Montréalais somnolaient, incapables de s'activer; d'autres se berçaient sur leur balcon, la main refroidie par une bière. Des chanceux se prélassaient dans la fraîcheur de leur appartement climatisé. Les terrasses des cafés de la rue Saint-Denis et du Vieux-Montréal regorgeaient de clients engourdis par la torpeur.

Les Montréalais attendaient l'orage purificateur.

Dans son appartement victorien de la rue Milton, près du campus de l'université McGill, Samek affrontait Gabriel, son frère, dans une partie de hockey sur table tout à fait déchaînée.

En dépit de sa façade cossue, la maison de

Samek était un bazar géant, un bric-à-brac parfaitement surréaliste. Les meubles de tous styles n'avaient en commun que le fait d'être devenus confortables avec l'usure.

Des souvenirs de voyages s'accumulaient sur les étagères et dans les moindres recoins: des masques africains, une statuette cambodgienne, des spécimens de lave du Cap-Vert, une mâchoire de requin, un buste de sainte Thérèse d'Ávila, la tête réduite d'un Indien Jivaro, un hublot de l'*Empress of Ireland*, un calendrier maya, une pipe guatémaltèque, une épée normande.

Des pièces d'équipement de plongée sous-marine traînaient sur le plancher du bureau en compagnie d'appareils-photos de tous formats. Un ordinateur portatif était allumé en permanence, assiégé par des piles de feuilles.

Cette maison était une bibliothèque mur à mur où s'entassaient les ouvrages historiques, les traités d'archéologie, la collection complète des œuvres de Jules Verne, des Bob Morane, la série des Hornblower et une superbe collection de livres à saveur mystique.

Samek et Gabriel tiraient et poussaient frénétiquement les tiges de métal de chaque côté du jeu. Ils se battaient pour leur vie et, sur leur visage, s'affichaient successivement l'anxiété, la détermination, le désespoir et la hargne.

— Yéééé! Quel lancer! hurla Samek, les bras en V.

— Tu as triché! protesta Gabriel.

— J'ai triché honnêtement! Le but est bon!

— Non, c'est moi qui ai gagné!

Sans avertir, Samek décocha un formidable coup de pied dans le jeu qui s'envola, rondelle, joueurs et tout, vers le mur.

Elle adorait jouer avec son frère mais perdait immanquablement. Bien que la défaite lui répugnât, ce jeu la rapprochait de Gabriel et représentait le baromètre de ses états d'âme.

Samek Garnotte était une personne singulière. Non pas qu'elle eût quarante orteils ou trois yeux. Au contraire, elle était jolie: petite et élégante, solide et agile. En tout temps, ses yeux de Montagnaise souriaient du sourire de l'intelligence.

Née vingt-trois ans plus tôt dans la réserve amérindienne de Betsiamites, au sud-ouest de Baie-Comeau sur la Côte-Nord, Samek avait été adoptée en bas âge par la famille Garnotte de Québec, à la suite de l'accident de motoneige qui faucha ses parents. Son éducation blanche et ses origines montagnaises n'avaient jamais fait bon ménage. C'est pourquoi elle se sentait étrangère où qu'elle se trouvât.

C'est par sa façon de faire les choses que Samek était une anomalie. Tout devait être embuscade, bagarre, défi. Et, trop souvent, elle recrutait ses ennemis dans les rangs des institutions qu'elle fréquentait.

Après de brillantes études à Québec, elle obtint un poste à l'université McGill. Très tôt, elle provoqua des remous dans le département d'archéologie où, prétendait-elle, on s'occupait de politique plutôt que de recherche.

Les méthodes de Samek faisaient frémir ses collègues. Sa curiosité dévorante était bien servie par sa courte patience. Sur les sites de fouilles, elle délaissait parfois le petit pinceau et la fine brosse au profit de la dynamite.

Malgré cela, les autorités académiques avaient besoin de ses talents. Elle avait hérité du flair extraordinaire de ses ancêtres amérindiens. Lorsque les circonstances l'exigeaient, elle invoquait Tshishemanitu pour la guider sur la piste d'une découverte.

En dépit de ses succès, on ne mentionnait jamais son nom lors de symposiums scientifiques. Ses découvertes étaient inéluctablement revendiquées par tel ou tel professeur émérite. Mais cela ne l'ennuyait pas. L'ambition ne la touchait pas. Elle ne gaspillait pas son temps à courir les subventions. Sa passion, c'était la connaissance.

Gabriel se laissa tomber dans un fauteuil rapiécé et vida goulûment une cannette de bière.

— Je t'ai apporté des trucs qui pourraient t'intéresser, dit-il.

Samek se pencha sur une boîte de carton et l'ouvrit. À l'intérieur, il y avait des coquillages blanchis, une collection d'insectes, des coraux, un crâne de chèvre, des plantes séchées.

— Tu faisais quoi avec tout ça? s'enquit Samek.

— Bof! je ramasse, je garde un bout de temps, puis je jette.

— Tu me prends pour un dépotoir? dit-elle en riant.

Un caillou bizarre, incrusté de corail, attira son attention. Elle le prit. Au même moment, un éclair aveuglant suivi d'un claquement de tonnerre ébranla la maison. Le caillou lui échappa des mains et se retrouva par terre.

Aussitôt, une lourde averse s'abattit sur le toit et les fenêtres. Samek reprit le caillou et l'examina. Un morceau de corail s'en était détaché en touchant le sol.

— C'est quoi ce caillou? demanda-t-elle.

— Rien, un corail que j'ai trouvé en plongée à Samana, en République Dominicaine. Si tu ne le veux pas, jette-le.

Samek retourna le caillou entre ses mains. Une de ses faces, fraîchement dégagée du corail, était douce et dure.

— Regarde, fit Samek. On dirait du marbre.

— Du marbre?

— Aucun doute, affirma-t-elle. Mais il y a autre chose. Des encoches angulaires, trop régulières pour être naturelles.

Elle orienta la roche sous la lumière pour accentuer le relief des marques.

— On dirait des lettres. Un *S*, un *Y* et quelque chose comme *ens*.

Gabriel se leva en se frottant les mains.

— Maintenant, je t'offre une revanche.

— Je te concède la victoire, répondit Samek,

intriguée par ce corail qu'elle ne cessait de caresser. Soudain, elle enfila son ciré et s'apprêta à sortir, le poing fermé sur le caillou.

— Hé là! protesta Gabriel. On vient juste de commencer le tournoi. Tu ne vas pas partir avec le goût de la défaite dans la gorge.

— Je reviendrai dans une heure ou deux. Il y a de la bière dans le frigo. De toute façon, je n'ai aucune chance, tu gagnes tout le temps, fit Samek en se dirigeant vers la porte.

— Bon, admit Gabriel, péremptoire. Puisque de toute évidence je suis le meilleur, je te concède la défaite.

Samek sortit sous la pluie et courut vers le campus de l'université.

Toute trempée, elle arriva au laboratoire d'expertises archéologiques, inoccupé à cette heure tardive.

Elle alluma les néons et assécha ses cheveux dans un sarrau blanc. Puis, encore essoufflée, elle s'assit devant un appareil électronique qui ressemblait à un microscope géant. Elle enclencha un interrupteur et l'appareil émit un ronronnement. Elle sortit le caillou de son sac et, à l'aide d'un canif, détacha un morceau de corail. Elle l'inséra dans le compartiment vitré de l'instrument et referma la porte.

Elle se mit ensuite à taper des instructions sur le clavier de l'ordinateur. Aussitôt, des éclairs bleus jaillirent de l'instrument. Des colonnes de chiffres défilèrent sur l'écran.

Samek se leva, passa sa main dans sa chevelure mouillée et attendit les résultats qui ne tardèrent pas à s'inscrire sur le papier de l'imprimante.

Elle détacha la feuille et examina les données. Déroutée, elle retourna à l'instrument et recommença la manœuvre mais, cette fois, avec le bloc de marbre tout entier.

D'autres chiffres s'inscrivirent à l'imprimante. Elle les analysa consciencieusement sans rien y comprendre. Les lignes de son front se creusèrent.

Elle sortit le spécimen de l'analyseur et l'observa à la loupe. Elle revit le *S*, puis le *Y* et *ens* plus bas. Elle déposa la loupe et écrivit les lettres sur le papier. Elle les fixa, sceptique, pendant de longues minutes.

Elle se mit à arpenter le laboratoire comme un savant fou.

«Ces marques gravées dans le marbre, songea-t-elle, ne sont pas dues au hasard comme ces roches, sculptées par l'érosion, qui ressemblent à des cœurs ou à des grenouilles».

Elle se rassit pour griffonner d'autres lettres et signes. Elle fit des douzaines de griffonnages. Puis, elle les découpa aux ciseaux et se mit à les déplacer et à les agencer comme des lettres de *Scrabble*.

Tout cela ne signifiait rien. Elle tournait en rond.

Elle arpenta de nouveau le laboratoire. En arrivant à la porte, elle leva la tête et aperçut au mur une affiche qui annonçait le prochain symposium d'art précolombien. Elle était illustrée par un croquis de Colomb parlementant avec les indigènes.

Un déclic se fit dans la tête de Samek. Elle s'approcha de l'affiche et la fixa. Un sourire illumina son visage. Elle se frappa le front et courut vers la table. Elle se pencha sur ses notes et y ajouta des lettres et des mots en forme de pyramide. Elle obtint le cryptogramme suivant :

.S.
.S.A.S.
X M Y
Christo Ferens

Avec respect, elle souleva le spécimen de marbre et le plaça à côté du cryptogramme. Elle passa ensuite de longues heures à les contempler, comme un artiste satisfait devant son œuvre complétée.

Le lendemain matin, Samek se retrouva dans le bureau du directeur du département d'archéologie, le professeur Hartsnkrafts.

Le professeur déplaçait sans cesse des piles de courrier sur son bureau où reposait le spécimen de marbre.

— Le fragment a été trouvé par mon frère à Samana, dit Samek.

Le professeur jeta un œil furtif sur le morceau de marbre.

— Du calcite.

— Mais regardez donc! insista Samek. Elle retourna le spécimen pour bien exposer les marques. Vous ne voyez donc pas?

— Des encoches. Et alors? dit-il.

— Voyez là, il y a un *S*, ici un *Y* et là, *ens*. Cela ne vous dit rien?

Samek n'attendit pas la réponse et poursuivit.

— Au début, j'ai cru au hasard. Puis, je me suis souvenue d'un article que vous avez vous-même publié dans le *Quarterly Journal of Archaeology*.

— Ah? Vous lisez mes articles, fit le professeur tout flatté.

Fébrilement, Samek esquissa le cryptogramme sur la couverture d'un dossier.

.*S*.
.*S.A.S*.
X M Y
Christo Ferens

Le professeur se pencha sur l'inscription.

— Ah! La signature de l'Amiral de la Mer Océane, Colomb, bien sûr.

De son crayon, Samek pointa chaque lettre gravée dans le marbre.

— Regardez le décalage typographique entre les marques. Cela correspond parfaitement. Colomb lui-même a fait inscrire ces lettres.

— Impossible, rétorqua le professeur.

— Et pourquoi donc? protesta-t-elle.

— Premièrement, Colomb ne s'est arrêté à

Samana que brièvement en 1492 et en 1493. Il n'y a jamais érigé de monument. Deuxièmement, il n'a commencé à signer de cette façon qu'en 1504, deux ans avant sa mort. Il n'est jamais revenu à Samana durant ces deux années.

— Il aurait pu faire graver un monument en Espagne pour le faire ériger plus tard à Samana par quelqu'un d'autre, proposa Samek.

— S'il avait fait ériger un monument à sa mémoire, fit remarquer le professeur, il l'aurait fait installer à Saint-Domingue, la capitale, pas à Samana.

— Mais, rétorqua Samek, un monument de Saint-Domingue peut très bien avoir été perdu dans la baie de Samana.

— Proposition extravagante. Je ne vois pas pourquoi un monument à la mémoire de Colomb se serait retrouvé au fond d'une baie à trois cents kilomètres de la capitale. Ce fragment est une contrefaçon. Mademoiselle Garnotte, vous perdez votre temps.

— Minute, Hartsnkrafts ! J'ai analysé le fragment lui-même ainsi que le corail qui le recouvre. Le fragment date de cinq siècles et le corail de deux siècles. Son authenticité ne fait aucun doute.

Le professeur hocha la tête, totalement désintéressé.

— La méthode de datation au carbone quatorze est parfaitement inopérante dans le cas d'un spécimen non organique, reprit Hartsnkrafts. Vous devriez le savoir.

Samek fit la sourde oreille à l'objection de son directeur.

— Ce que cela veut dire, poursuivit-elle, c'est que le fragment est tombé à la mer vers 1800. Les vestiges de corail ne mentent pas.

Le professeur sourit, amusé par l'excitation de Samek.

— Écoutez, dit-il, si votre fragment est vraiment celui d'un monument que Colomb a fait graver, il doit forcément provenir de Séville. Et vous supposez qu'on l'aurait apporté d'Espagne puis égaré à Samana vers 1800? Absurde.

— Vous ne voyez pas… fit Samek, ardente. Un fragment portant la signature de Colomb!

— Depuis 1800, on a sculpté des milliers de répliques à l'effigie de Colomb. Ce fragment n'est pas authentique.

— Il est authentique! lança Samek.

— Vous divaguez, mademoiselle Garnotte, dit le professeur en consultant sa montre.

— Je veux savoir d'où vient ce fragment et pourquoi il a été perdu dans la baie de Samana. Je veux retrouver le monument d'où il provient.

Le professeur fronça les sourcils. Mais Samek continua.

— Il faut fouiller la baie de Samana. J'ai besoin de fonds et d'un mandat officiel du département.

— Impossible, lança le professeur. On n'a pas le budget pour cela.

— J'irai de toute façon, dit-elle, que vous débloquiez ou non des fonds.

— Vous ne pourrez même pas soulever la moindre roche sans la permission des autorités de la République Dominicaine. Ce que je retiens, poursuivit le professeur en se levant, c'est que vous avez utilisé le labo à des fins pour lesquelles vous n'êtes pas payée. Tout ce que l'on vous demande, c'est de vous occuper des étudiants de premier cycle. Si vous pensez être sur une piste, soumettez un rapport au comité d'évaluation. Vous connaissez la procédure à suivre.

Samek dévisagea le professeur. Puis, elle plongea le morceau de marbre dans son sac et fit quelques pas vers la porte. Elle se ravisa et se retourna.

— Bureaucrasse, cracha-t-elle entre ses dents.

Elle sortit.

* * *

Chapitre 2

Un autre jour de fin d'été se levait sur la forêt des Cantons de l'Est. Les animaux nés au printemps étaient déjà adolescents. Les hirondelles se préparaient à la migration. Le soleil allait bientôt émerger des grands pins qui entouraient la clairière et la cabane nichée au milieu.

Un robuste gaillard apparut dans le cadre de la porte. C'était Boulet.

Il bâilla longuement devant la brume du matin et s'étira. Puis, il cracha bruyamment par terre.

Un écureuil roux se mit à gueuler comme un Parisien.

Boulet sursauta.

— La ferme! lança-t-il à l'intention du rongeur effronté.

Boulet retourna dans sa cabane où des caisses

de fèves au lard partageaient un mur avec des caisses de bière et de jujubes. Un lit étroit occupait l'autre mur. Un réchaud de camping, des casseroles et des assiettes reposaient, bien alignés sur le comptoir.

Boulet s'assit face à la fenêtre. Devant lui, sur une table, une feuille émergeait d'une machine à écrire. Il relut l'unique ligne dactylographiée.

L'arbitre laissa tomber le puck. L'arbitre laissa tomber le disque — le palet — la rondelle

— Chlak de chacrapok ! vociféra-t-il.

Il frappa la table de sa large main et se leva. Sans relâche, il arpenta son réduit comme un lion en cage. Un lion à la jambe brisée. C'est que, à la suite à d'un accident survenu quatre mois plus tôt, Boulet claudiquait.

L'accident avait mis un terme à sa brillante carrière de joueur de la Ligue Nationale de Hockey. Un accident stupide, causé par une pieuvre insignifiante.

Pendant quatre ans, Boulet avait joué pour les Canadiens de Montréal. Dès la première année, il mena son équipe à la coupe Stanley. Son lancer frappé ravageait la ligue, d'où le surnom de Boulet qu'il préférait de beaucoup à son vrai nom, Éphraise Laframboise. La puissance de son lancer, de son boulet, était telle que les gardiens de but des équipes adverses préféraient allouer le but plutôt que d'affronter l'impact dévastateur de la rondelle. Lorsque Sam Peake, le gardien des Bruins de Boston, avait reçu la rondelle en pleine face, il avait fallu recourir à la microchirurgie pour détacher le masque de son visage.

Boulet était une belle promesse, un germe de légende. N'eût été cette stupide pieuvre, il serait devenu un dieu du hockey.

Les Canadiens étaient en finale contre les Red Wings à Détroit, dans la bataille décisive d'un quatre de sept. Il ne restait que deux minutes à jouer. Le tableau électronique affichait un score de deux à deux. Le public était survolté. Chaque fois que l'arbitre punissait les Wings, les fans hurlaient leur colère et lançaient sur la patinoire des verres vides et pleins, des sacs de pop-corn, des couvre-chaussures, des chapeaux, des pièces de monnaie et même des pieuvres mortes.

Dès la mise au jeu, Bralünd passa la rondelle à Boulet. Propulsé par sa force d'accélération, Boulet s'élança. Maniant le bâton avec finesse, il déjoua les avants, traversa la ligne du centre, pirouetta à la ligne bleue, feinta habilement et perça la défensive ennemie.

Arrivé seul devant le gardien des Wings, il freina en décapant la glace. Il visait le coin droit du filet et enclenchait son lancer frappé, son boulet, quand un fan des Wings lui catapulta une pieuvre gluante en plein visage. Bien qu'aveuglé par les tentacules, Boulet décocha quand même son lancer.

La rondelle fendit l'air, heurta le poteau des buts, ricocha sur la rampe et vint s'arrêter dans son genou.

Les Canadiens perdirent la partie et la coupe. Boulet se retrouva à l'hôpital. Sa rotule fracassée ressemblait à de la fricassée. Les chirurgiens dégagèrent les fragments et recousirent la plaie.

Depuis, Boulet claudiquait et ne jouait plus au hockey.

Son rêve dévasté, sa vie s'était figée. Il se retrouvait du jour au lendemain devant le gouffre de son avenir.

Depuis son enfance, il avait tout consacré au hockey. Jour et nuit, hiver comme été. Ou bien il s'entraînait, ou bien il voyageait avec l'équipe, de Vancouver à Montréal, de Los Angeles à Moscou. Sa maison était l'hôtel et sa chambre, le vestiaire des joueurs. Sa famille était son équipe et ses parents, ses entraîneurs.

Quatre mois s'étaient donc écoulés depuis l'accident et personne ne savait où se terrait le héros blessé. Il avait tout simplement disparu. Les journalistes qui le cherchaient en vain finirent par l'oublier. Les gérants d'équipes qui voulaient en faire un entraîneur abandonnèrent le projet. Sa propre famille ignorait tout de sa destination.

Des journalistes avaient même prétendu que Boulet avait sauté du pont Jacques-Cartier. D'autres avaient laissé courir la rumeur selon laquelle il aurait émigré à Bornéo pour y enseigner le hockey.

Boulet s'était simplement retiré dans la solitude de la forêt québécoise pour s'inventer un nouvel avenir.

Il avait décidé d'écrire son autobiographie afin de revivre pendant qu'ils étaient encore tout chauds, les souvenirs de sa gloire furtive, pour replonger une dernière fois sous les feux de sa courte carrière.

Au début de sa retraite, il avait joui des plaisirs de la nature. La zoologie le passionnait depuis sa tendre enfance. Toute la nature l'émerveillait, même dans ses manifestations les plus discrètes tels l'hirondelle qui trisse, le moineau qui pépie, l'alouette qui turlutte ou la cigale qui stridule.

Mais après quatre mois, il commençait à en avoir marre. La solitude s'avérait un contraste trop violent avec ces années de foules en délire et de vie trépidante.

Les animaux finissaient par lui taper sérieusement sur les nerfs. Dès le matin, les corneilles lui cassaient les oreilles. Croâââ, croâââ, croâââ. Le jour, les écureuils roux ne cessaient de gueuler. Guiii, guiii, guiii. Les ours mangeaient ses framboises et ses bleuets. Au crépuscule, les moustiques le harcelaient. Bzzz, bzzz, bzzz. Les grenouilles rivalisaient d'ardeur dans leurs coassements. Les ratons laveurs dévalisaient ses poubelles. Le soir, les souris prenaient la relève avec un vacarme infernal dans les murs et les planchers. Scrichhh, scrachhh, scrichhh. La nuit, les porcs-épics grugeaient tout ce qui leur tombait sous l'incisive. Grut, grut et gloup. Grut, grut et re-gloup. Il était devenu impossible de réfléchir.

À la suite de ces quatre mois de vie en forêt, Boulet conclut à la stupidité des animaux. Plus leur système de défense est efficace, plus ils sont abrutis, croyait-il. Comme les mouffettes qui puent et les porcs-épics qui piquent. Plus l'arme est grosse, plus l'esprit est petit.

Ce matin-là, avant même que la rosée ne s'évaporât, Boulet reçut son premier visiteur.

Un bruit lointain se répercuta dans les montagnes. Peu à peu, il se transforma en une pétarade qui déflorait l'harmonie de la vallée, réduisant au silence les écureuils, les corneilles et les grenouilles. On aurait dit le vacarme d'un bataillon de tireurs intoxiqués par l'alcool.

Boulet reconnut ce tapage digne du carnaval de Rio. Cela ne pouvait venir que de Samek, la seule personne à connaître sa cachette. C'était d'ailleurs elle qui lui avait trouvé ce refuge en plein bois et qui l'avait approvisionné en fèves au lard et en jujubes.

Samek et Boulet étaient amis d'enfance. Ils s'étaient connus à l'époque où il venait jouer à la crosse à la réserve indienne afin d'apprendre de Gabriel comment se battre. Peut-être Samek et Boulet, alors adolescents, avaient-ils été amoureux ? Chose certaine, leur amitié était inébranlable.

Craignant d'assister à la fin de sa réclusion, Boulet se barricada dans sa cabane. Avec Samek, tout était possible, sauf la paix.

Elle arriva dans la clairière.

Un nuage bleuâtre s'immobilisa devant la

cabane. Lorsqu'il se dissipa, une Dodge verte apparut. Ou brune. Il devait bien s'agir d'une automobile car cela possédait quatre roues.

La portière s'ouvrit dans un affreux grincement. Un marché aux puces complet déborda de la voiture et s'éparpilla par terre : des piles de feuilles dactylographiées, des outils graisseux, un crâne humain couvert de nombres ainsi qu'un gros rat qui, aussitôt, prit la fuite vers les fougères.

Samek était propre de sa personne à en faire frémir un chirurgien mais elle n'avait pas de temps à perdre à accomplir des tâches domestiques. Elle avait horreur des objets neufs, sans âme. À ses yeux, un objet ne pouvait avoir de valeur que lorsqu'il ne valait plus un sou. C'est le temps qui fait la valeur, croyait-elle.

Elle s'approcha de la cabane et vit que la porte et la fenêtre étaient fermées. Elle comprit, sourit et s'assit sur une pierre plate. Puis, elle commença à s'égosiller.

— *C'est sur les bords du Saint-Laurent, yip pan pan c'est l'amou' c'est l'amou', c'est sur les bords du Saint-Laurent, y avait trois jolies filles, y avââa...*

Samek n'avait absolument pas l'oreille musicale. Elle chantait faux. Très faux. Cela ressemblait à du chant tyrolien à saveur de grégorien *heavy metal*.

Les animaux qui n'avaient pas fui devant la Dodge, prirent cette fois la poudre d'escampette et se réfugièrent au sommet des arbres, dans leur tanière ou dans le sol. La ruse de Samek fonctionna à merveille car même Boulet abdiqua et ouvrit la porte de la cabane.

— Assez! cria-t-il, avant de disparaître dans son antre.

Samek se tut et pénétra dans l'ermitage du joueur de hockey.

Elle vit la machine à écrire et se pencha sur la feuille.

Ignorant la présence de Samek, Boulet catapulta le contenu d'une boîte de conserve dans une casserole en éclaboussant le comptoir. Puis, sans se retourner, il lança:

— Tu veux manger?

Samek acquiesça, amusée.

Il ouvrit une autre boîte d'un coup de couteau. Puis, toujours bougon, il lui tendit une cannette de bière.

— Pourquoi es-tu venue? dit-il en regardant par la fenêtre.

— Comme ça, répondit Samek. Mais je ne veux surtout pas déranger ta concentration d'écrivain. Je peux m'en aller si tu veux.

— Je te connais bien, Sacramek. Tu n'es pas venue pour rien. Allez, déballe ton sac.

— C'est normal de s'inquiéter de ses amis, non? Ça fait quatre mois que tu ne vois personne. Même saint François d'Assise voyait du monde à l'occasion.

— D'accord. On en reparlera.

Ils mangèrent en silence les glorieuses fèves au lard arrosées de ketchup.

Son assiette consciencieusement vidée,

Boulet se leva et s'abandonna à une généreuse flatulence. Aussitôt, Samek s'éjecta de la cabane.

Il la suivit dans la clairière.

— Tu manges trop de fèves, lui reprocha-t-elle. Tu vas défolier la forêt entière. Et puisque tu es si content de me voir, je m'en vais.

Samek se dirigea vers son tacot. La portière grinça encore. Le démarreur siffla, puis le moteur cracha, dégurgita, rota et s'étouffa. Boulet s'approcha de la voiture.

— Il faut pousser, dit-elle.

Il pencha la tête et, d'un coup de pied distrait, fit sauter le chapeau d'un champignon.

— Tu sais bien, dit-il, que je suis content de te voir.

— Pas facile à deviner.

— Je suis devenu un peu sauvage, admit Boulet. Je ne sais plus quoi faire de ma vie. Sans hockey, je ne suis plus rien. J'ai essayé d'être écrivain, mais ça ne marche pas. Je suis incapable de choisir entre un mot français de France, québécois de rue, québécois de télévision, anglais ou américain. Et puis, je suis bien trop jeune pour écrire.

— Pauvre petite bête, ironisa Samek.

— Si j'avais une rondelle au bout d'un bâton...

— Je comprends. Justement, peut-être aimerais-tu sortir de ton trou ?

— Bof ! fit-il.

— J'ai besoin d'un skipper.

— D'un skipper? C'est pour cela que tu es venue jusqu'ici?

— Oui, j'ai besoin d'un skipper, d'un chauffeur de yacht, répéta Samek.

— Ce n'est pas à moi qu'il faut le demander. La dernière fois que j'ai navigué, c'était sur le voilier de mon père. J'avais onze ans.

— La voile, dit-elle, ce n'est pas compliqué. Il faut savoir ancrer, lire une carte et baisser les voiles quand il vente trop. Élémentaire, je dirais, pour un gars comme toi...

— Tu me proposes des vacances, c'est gentil, mais tu sais, les vacances, je commence à trouver ça long.

— Je ne parle pas de vacances, rétorqua Samek. C'est sérieux.

— Alors, crache, dit-il, piqué par la curiosité et prêt à embarquer dans n'importe quelle aventure pourvu que ce ne soit pas en compagnie de ratons laveurs.

Samek regarda droit devant elle, les mains posées sur le volant. Elle plissa les yeux et observa un silence théâtral.

— Je pars sur la piste d'un explorateur célèbre.

— Chez les réducteurs de têtes, ironisa Boulet.

— Aux Antilles, précisa Samek.

— Sur des plages ennuyeuses surpeuplées de touristes?

— Sur les traces du bon vieux Christophe, fit-elle.

— Saint Christophe? Le patron des voyageurs? Celui qui passe les ruisseaux à gué, un enfant dans les bras?

— Non, rétorqua Samek. Colomb, Christophe Colomb.

* * *

Chapitre 3

Boulet et Samek ne s'étaient guère adressé la parole durant le voyage vers les îles Vierges; lui, ayant trop insisté pour que sa compagne soit convenablement vêtue, et elle, ayant trop insisté pour porter ses vieilles fringues sous prétexte d'éviter de passer pour une touriste japonaise.

Dès qu'ils descendirent du bimoteur, ils furent écrasés par l'humidité qui régnait sur la piste de Saint-Thomas. Ils se dirigèrent vers un vague bâtiment qui faisait office de bureau des douanes.

Rompant la bouderie, Samek fit discrètement allusion au but de l'expédition.

— C'est Colomb qui a découvert cet archipel d'une centaine d'îles, dit-elle. Il les a appelées îles Vierges lors de son deuxième voyage en novembre 1493.

— Je ne vois vraiment pas pourquoi tu as insisté pour faire ce détour plutôt que d'aller directement en République Dominicaine, protesta Boulet.

— Pour ne pas attirer l'attention, expliqua Samek. Nous aurons besoin d'un bateau et d'un équipement de fouilles sous-marines et je ne tiens pas à alerter les douaniers. N'oublie pas que notre projet est illégal. Il faut des permissions pour effectuer des fouilles. Maudit Hartsnkrafts. Sans la caution de l'université, nous risquons des ennuis.

Après avoir subi les formalités de douane et déclaré qu'ils étaient en vacances, ils marchèrent vers le centre-ville de Charlotte-Amalie, la capitale de Saint-Thomas, l'île la plus peuplée des îles Vierges américaines.

Une végétation rabougrie, brunie par la sécheresse de fin d'été recouvrait çà et là l'île vallonnée. Des bateaux de toutes espèces surpeuplaient la baie de Saint-Thomas. En cette période de l'année, les yachts venaient y mouiller pour se protéger des ouragans, toujours dévastateurs dans cette région.

Samek et Boulet arrivèrent enfin au Club Nautique où ils espéraient louer un bateau pour voguer vers Samana, à trois jours de mer.

Au bureau de location, ils furent accueillis par un Américain typique: trop grand, trop propre, trop bronzé et trop blasé. Comme une machine, il fit étalage de sa ribambelle de clichés commerciaux et demanda aux visiteurs ce qu'il pouvait faire pour eux.

— On veut louer un bateau, dit Boulet.

— Goélette? Sloop? Ketch? offrit l'Américain.

— Ben, un voilier, répondit Boulet.

L'Américain fronça les sourcils. Comme ses congénères, il se méfiait de tout ce qui n'était pas standard. Le couple Samek-Boulet n'était pas standard. Il consulta un tableau.

— Un Hunter 42 vous conviendrait-il? Il sera prêt demain. Puis, il hésita et, à brûle-pourpoint, demanda à Boulet:

— Vous avez de l'expérience?

— Évidemment, fit Boulet en écarquillant les yeux.

L'Américain esquissa un sourire niais à l'intention de Samek et demanda sur un ton tout aussi niais:

— Japonaise?

— *Eukuan nin innu-iskueu.* Je suis une sauvagesse, répondit-elle.

L'Américain perdit son sourire et se rabattit sur Boulet.

— Guindeau électrique?

— Hein? fit Boulet, décontenancé.

— Vous voulez un guindeau électrique?

— Heu… Boulet hésita. Oui.

La méfiance de l'Américain s'accentua. Il poursuivit son interrogatoire.

— Gréement classique ou enrouleur?

— Heu… enrouleur, c'est mieux, balbutia Boulet, ignorant le langage ésotérique de la marine à voiles.

L'Américain tendit un ultime piège.

— Et une *mains'l*?

— Ah non! fit Boulet. Pas besoin.

Boulet ignorait que *mains'l* signifiait *grand-voile* en anglais, c'est-à-dire l'élément le plus important d'un voilier.

L'Américain avait coincé l'imposteur. Jubilant, il déclara que toute sa flotte de bateaux était louée. Puis, sans cérémonie, il retourna à ses affaires.

Ils sortirent du bureau en réalisant qu'ils ne pourraient jamais se faire passer pour des marins d'expérience, même affublés de casquette, chandail breton et souliers de toile. La location d'un bateau s'avérait impossible. Le projet s'amorçait mal. Boulet suggéra une réunion d'état-major à un des *fast-foods* qui pullulaient dans l'île.

— Jamais! lança Samek. Les chaînes de restaurants américaines sont les exemples les plus vulgaires de la laideur de ce qui est neuf, de l'anonymat, de...

— Ça va, ça va, interrompit Boulet. Allons au resto local.

Pendant le repas, Samek poursuivit son discours sur la laideur moderne. Ce qui ne les aida guère à trouver une solution. Il leur faudrait louer un bateau avec capitaine, au risque de dévoiler leurs plans.

Ils déambulèrent dans des rues hypercommerciales. Puis, au hasard de leur promenade, ils aboutirent à un quai délabré.

Là se dandinait un voilier bleu ou brun. De toute évidence, le malheur de cette épave résidait dans le simple fait de flotter. Il arborait les restes délavés d'un pavillon québécois attaché à un bâton de hockey à l'envers. La silhouette de tôle d'un buste féminin aux seins énormes faisait office de figure de proue. Le pire, c'est que dans cette poubelle flottante, il y avait du monde.

Un gros, bedonnant et chauve, tétait une bière dans le cockpit. Il aperçut Boulet.

— Hé! Toutoune! cria le gros. Viens voir! C'est Boulet, le joueur du Canadien!

Un grand squelette de femme recouvert de peau plaquée rose émergea de l'écoutille. Elle dévisagea Boulet de pied en cap et émit un sifflement admiratif sans pudeur.

Boulet répondit par un sourire poli et se retourna pour partir, mais Samek le retint. Elle s'adressa aussitôt au gros.

— Vous êtes de Montréal? demanda-t-elle.

— Laprairie.

Il allongea la graisse de son bras et tendit sa main molle vers Boulet.

— Moi, dit-il, c'est Bilodo. Elle, c'est Toutoune. Mon yacht, c'est la *Pitoune à Toutoune*. Montez donc. Hé! c'est pas tous les jours qu'on a un joueur de hockey à bord. Envoie donc, embarque.

Samek dut tirer Boulet par le bras pour le forcer à accepter l'invitation. Bilodo examina le joueur de hockey d'un regard étonnamment vulgaire.

— Tu ne joues plus au hockey depuis le coup de la pieuvre?

Boulet haussa les épaules.

— Une petite froide pas froide? offrit le gros, en parlant d'une bière chaude. Le frigo ne marche pas. Rien ne marche sur ce foutu rafiot, mais de toute façon, tout ce qu'on demande à un bateau, c'est juste de flotter puis d'avancer, hein? Toutoune! Deux bières! Puis, il chuchota à Boulet:

— Les chinetoques, ça boit-y?

Samek entendit.

— Monsieur Bilodo, je suis montagnaise et j'aimerais bien une bière, merci. Vous êtes en vacances?

— Ouais, répondit l'homme. Mais il y a trop de foncés ici. On va retourner en Floride où le monde sont plus le *fun*.

Ainsi, de bière en bière, Samek et Boulet apprirent que Bilodo avait été mis à la retraite lorsque son commerce avait été déclaré illégal. C'est que pendant vingt ans, le gros avait vendu des squelettes.

Une fois l'an, il se rendait aux Indes pour y passer sa commande. On lui trouvait des cadavres frais qu'ensuite on plongeait dans des bassins d'asticots grouillants. Ils en ressortaient nettoyés, fin prêts pour l'exportation. Bilodo les vendait aux laboratoires et aux écoles. Mais, le commerce devint illégal le jour où on s'aperçut que les cadavres offerts aux asticots n'étaient pas complètement morts. L'affaire était devenue trop lucrative.

On avait perdu les pédales.

Après une heure de conversation décousue, Boulet afficha son impatience. Il avait horreur de gaspiller ses mots. Samek le savait et en vint au but de sa visite.

— Vous naviguerez longtemps encore? dit-elle.

— Bof! répondit le gros. Il est fini ce yacht. Une épave, je vous dis. On va s'acheter un condominium en Floride, regarder le hockey sur le câble et boire de la vraie bière.

— Vous nous vendriez votre bateau? s'enquit Samek, ignorant le regard horrifié de Boulet.

Bilodo se tourna vers Toutoune. Elle approuvait de tout son corps comme une grenouille électrocutée.

— Ben... reprit Bilodo en grattant son crâne trop cuit. Ben, c'est que... j'ai dit que mon bateau était une épave, mais ça dépend. Vous voulez naviguer où?

— Oh! pas loin, répondit Samek. Aux alentours, dans les îles.

— Dans ce cas, reprit Bilodo, c'est le bateau idéal.

Devenu soudainement enthousiaste, il invita Samek et Boulet à visiter la cabine.

Ils descendirent donc tous les quatre dans la fosse pestilentielle. La cabine de la *Pitoune* était un trou huileux et graisseux, gluant et puant.

Toutoune ouvrit des placards. Des colonies entières de cafards dégorgèrent des déchets de nourriture et s'enfuirent dans toutes les directions.

— On s'habitue à ces *bibittes*, dit Toutoune. Elles ne mordent pas et elles ne piquent pas. Vous vous habituerez.

— C'est un intérieur très… heu, confortable, dit Bilodo. Si vous n'aimez pas l'aménagement, pas de problème. En une heure, vous pouvez tout changer.

En effet, l'aménagement se limitait à de grossiers panneaux de contreplaqué, cloués sur place et peints de couleurs cramoisies, de couleurs de mal de mer.

— Même le gréement peut être adapté sur mesure, ajouta Bilodo. Je l'ai modifié hier de sloop à cotre. Les voiles sont un tantinet trop grandes, mais ça marche quand même.

Une irrésistible envie de rire étrangla Boulet. Samek resta impassible.

— Pourquoi pas ? dit-elle en haussant les épaules. Vous en demandez combien ?

Le gros était devenu parfaitement affable avec la sauvagesse.

— Ben, dit-il en regardant ailleurs, disons quarante mille dollars tout compris.

— Un bon prix, ajouta Toutoune qui aussitôt attira l'attention de Samek sur la vaisselle en plastique véritable. Et pratique à part ça.

Finalement, ils se mirent d'accord sur sept mille dollars.

Dès que Boulet leur eut remis un chèque et signé des papiers graisseux, Toutoune et Bilodo firent leurs valises, enfilèrent leurs vêtements à fleurs, sautèrent sur le quai puis disparurent dans la ville, trop contents de s'être enfin débarrassés de cette immondice à voile.

Boulet et Samek se retrouvèrent donc propriétaires et seuls maîtres à bord après Dieu de la *Pitoune à Toutoune*.

Il ne restait plus maintenant qu'à approvisionner le bateau et à trouver l'équipement nécessaire aux fouilles sous-marines.

En début d'après-midi, Samek et Boulet décidèrent de faire le point pour établir un plan, une liste. Après plusieurs tentatives fumantes, Samek réussit à allumer un brûleur de la cuisinière. Ils eurent droit à un café aromatisé au fuel.

Ils ne virent pas tout de suite qu'une eau huileuse recouvrait le plancher de la cabine. Le niveau montait insidieusement. Une fois debout, Samek s'aperçut que la *Pitoune* faisait eau.

Le voilier était en train de couler. Boulet se mit donc à pomper et à pomper et à pomper jusqu'à ce que le niveau descendît sous les planches de la cabine, laissant partout un épais résidu de cambouis.

On frappa sur la coque. Boulet sortit.

Un Antillais efféminé rôdait autour du voilier comme une mouche autour d'une plaie gangreneuse. Il portait un pantalon rose, une chemise de gala mitée et un chapeau blanc à la Al Capone. Ses yeux laiteux croisèrent ceux de Boulet. Il s'adressa à ce dernier d'une voix mielleuse de crapule.

— Bonjour, je suis Nappie. *Bill Oh Doh* était mon ami. Mon meilleur ami. C'est toi le nouveau propriétaire du yacht? s'informa-t-il en se dandinant comme une marionnette actionnée par un danseur de rap.

— Ouais, dit Boulet. Je peux faire quelque chose pour vous?

— Ah non, *man*. C'est moi qui peux t'aider. Tout ce que tu veux, je te le trouve. Je connais la ville. J'ai des amis. Tu comprends? De la bonne *neige*? Une fille? offrit-il en clignant de l'œil dans une vulgaire tentative de séduction.

Boulet fit signe qu'il n'était pas intéressé et disparut dans le bateau.

Oubliant ce Nappie, il s'évertua à nettoyer la cabine. Samek était partie en ville, à la recherche de l'équipement indispensable à ses fouilles.

En fin d'après-midi, alors que Boulet rassemblait des cordages sur le pont, un vieux camion s'arrêta à la hauteur de la *Pitoune*.

Samek en sortit, suivie de Nappie.

— Il est encore là, lui? grogna Boulet.

— Ce gars-là m'a aidée à trouver tout ce que je voulais. Il a des contacts dans l'île, répondit Samek. Tu nous aides à transborder le matériel?

Ils embarquèrent une panoplie d'appareils vétustes: des bouteilles d'air comprimé rouillées, un compresseur dégoulinant de graisse, une lourde boîte de carton et une caisse de fèves au lard.

Quand ils eurent fini, Boulet paya Nappie.

Ce dernier prit les billets avec détachement mais ses yeux en disaient long sur son insatiable avidité. Il se confondit en un million de courbettes disgracieuses.

— Je ne serai jamais loin, dit Nappie. Si vous avez besoin de quoi que ce soit, n'importe quoi, je serai toujours là, comme un ange gardien.

Nappie remonta dans son camion et se dirigea vers le port où des chalutiers étaient amarrés.

Boulet et Samek arrimèrent le matériel sur le pont du voilier. Puis, avec mille précautions, elle transporta la boîte de carton dans la cabine.

— Les provisions ? s'enquit Boulet.

— La dynamite, répondit-elle.

— De la dynamite ! Tu es folle ? Tu veux renverser un gouvernement ?

— Du calme, Éphraise. Il faut les outils qu'il faut.

— Mais comment as-tu fait pour trouver ça ?

— Je te l'ai déjà dit, Nappie a des contacts.

— Tu lui as révélé tes intentions à propos de la dynamite ?

— Pour qui me prends-tu ? Je lui ai dit, expliqua Samek, que c'était ma manière de pêcher.

— Et les tuyaux et le compresseur et les détonateurs ?

— Il ne faut pas s'inquiéter, reprit-elle. Nappie n'est qu'un petit vendeur de drogue. On l'a bien payé. Il sera discret.

— Ouais, rétorqua Boulet, n'empêche qu'il

doit savoir que nous sommes des chercheurs de trésors.

— Chercheurs de trésors? rétorqua Samek. C'est une vieille roche que nous cherchons.

— Je sais, admit Boulet. Mais plein de gens nous ont vus embarquer l'équipement de fouilles sous-marines. Nous avons sûrement attiré l'attention. Les ports sont de vraies foires à rumeurs.

Lorsque le bateau fut prêt et que tout l'équipement fut arrimé avec les bouts de cordage qu'ils trouvèrent, ils décidèrent de se payer un bon repas en ville.

En fin de soirée, ils revinrent au bateau et tentèrent de s'installer pour la nuit, malgré l'invasion des cafards.

Ils glissaient dans le sommeil quand, soudain, on frappa violemment contre la coque. Samek et Boulet se regardèrent puis sortirent.

Deux policiers attendaient sur le quai.

— On peut vous aider? demanda Boulet.

Les agents firent la sourde oreille. Puis, l'un d'eux dit:

— Faut partir.

— Partir? protesta Boulet. Mais on ne peut pas partir comme ça!

— Laisse tomber, fit Samek à voix basse.

— Votre bateau est accosté illégalement, répéta l'agent tandis que son comparse dénouait déjà les amarres de la *Pitoune*.

— Minute! menaça Boulet.

— Du calme, dit Samek. Aussi bien partir

maintenant, on a tout ce qu'il nous faut.

— Imbéciles, marmonna Boulet.

Il descendit dans la cabine et gratifia le vieux diesel de quelques tours de manivelle. Enfin, le moulin se décida à crachoter avec une certaine régularité.

Lorsque Boulet revint dans le cockpit, les policiers avaient déjà largué les amarres.

La *Pitoune à Toutoune* s'éloigna avec la marée vers l'horizon nocturne.

* * *

Chapitre 4

Dès que la *Pitoune à Toutoune* eut quitté la baie de Saint-Thomas, elle se mit à rouler dans la houle de l'Atlantique. Roulis, roula, roulalère. La nuit était claire. Le brisant des vagues et le sillage du voilier scintillaient de plancton phosphorescent. La *Pitoune* naviguait allègrement, ses voiles gonflées par l'alizé.

Roulis, roula, roulalère. Des chaleurs insidieuses envahirent Samek. Malgré l'air frais du large, elle transpirait abondamment. Des rigoles de sueur coulaient sur son visage et dans son dos. Son estomac indécis remuait en tous sens le sorbet qu'elle avait englouti au dessert. Ses intérieurs se révoltaient.

Résignée et affaiblie, elle s'arc-bouta au-dessus de la lisse et dégurgita avec brio. Un vrai son et lumières. À la mer le sorbet, le café, le vin, l'entrecôte, les frites. Et hop, un autre petit coup pour les crevettes à l'ail.

Le mal de mer comprimait son ventre comme un torchon dans une essoreuse. Après quelques spasmes à vide, elle se releva et chancela jusque dans la cabine où elle s'abandonna sur le plancher, dans une mare d'huile et d'eau de mer, en espérant que la mort vînt la libérer de cette torture. À chaque coup de roulis, elle glissait dans l'infect mélange, inconsciente de la puanteur acide qui régnait dans la cabine en continuel mouvement.

Pendant ce temps, Boulet barrait avec assurance.

L'itinéraire était libre de dangers sournois tels que récifs, hauts-fonds et courants inconnus. Boulet naviguait à vue des côtes, sur les traces de la *Marigalante*, le bateau amiral de Colomb en 1493.

Au matin, la *Pitoune* passa au sud de Culebra, un archipel corallien situé entre les îles Vierges et Porto Rico. Le vent avait faibli et Boulet en profita pour attacher la barre et prendre soin de Samek.

Il la souleva délicatement et l'étendit sur un sac de voiles qu'il coinça contre la cloison. Il humecta ensuite son visage d'une serviette imbibée d'eau fraîche. Puis, il brossa ses cheveux noués par le sel de mer.

Enfin, constatant que l'eau de cale débordait sur le plancher, il s'attela à la pompe. Puis, il remonta sur le pont.

Il vérifia la route au compas, jeta un coup d'œil sur les voiles, puis revint dans le cockpit.

C'est à ce moment qu'il aperçut un bateau qui suivait le même cap que la *Pitoune*, à deux milles marins derrière. «Un bateau de pêche sans doute», songea Boulet.

Des détonations sourdes se succédèrent. Boulet se retourna et vit au nord deux destroyers américains. Des nuages de fumée noire s'élevaient des tourelles. Ils s'exerçaient au tir de canon. «Plus l'arme est grosse, plus l'esprit est petit», se rappela Boulet.

Boulet vira à babord et amorça un détour prudent.

Quelques dauphins vinrent escorter la proue du voilier et offrirent un spectacle de fanfaronnades qui dura une heure. Le vent avait fraîchi mais il se stabilisa.

Vers midi, Samek émergea de la cabine, ébouriffée et livide.

— J'ai faim, dit-elle.

Elle avait passé avec succès l'épreuve d'initiation, elle avait payé son droit d'entrée au théâtre de l'océan : sa nausée s'estompait. Bientôt, elle allait faire corps avec la mer.

Elle prit la barre tandis que Boulet réchauffait des boîtes de fèves au lard et du café. Ils mangèrent dans le cockpit, sous un soleil de plus en plus ardent.

En fin d'après-midi, ils discernèrent devant eux la végétation dense des montagnes portoricaines.

À la tombée du jour, ils atteignirent la côte sud de Porto Rico qui les protégea contre la houle de l'Atlantique. Le voyage de nuit allait être relativement confortable.

Samek pilota le voilier jusqu'à minuit afin de permettre à Boulet de dormir. Puis il la relaya et barra jusqu'au matin.

À l'aube, ils s'aventurèrent dans le détroit de Mona qui, par vent fort du nord-est, devient un maelström meurtrier. D'ailleurs, au début du seizième siècle, ce détroit avait englouti une flotte entière de conquistadors venus d'Amérique centrale avec une énorme cargaison d'or volé.

Le vent vira justement au nord-est. La *Pitoune* se cabra contre la vague comme une jument sauvage et se mit à tanguer violemment. La remontée du détroit vers le nord s'avéra impossible. Boulet décida d'attendre une accalmie derrière une île déserte au sud du détroit, l'île de Mona.

Le soleil était au zénith quand la *Pitoune* arriva sous le vent de l'île. Boulet ouvrit le guide de navigation qui avait appartenu à Bilodo et réussit à décoder des informations entre les taches de sauce à spaghetti. Jadis, l'île de Mona avait servi de repaire de pirates. Encore aujourd'hui, dans cette région, des yachts disparaissaient sans laisser de traces. Il y avait un avertissement à cet égard dans le guide.

— Mais, protesta Samek, nous ne sommes pas à Samana.

— On ne peut pas continuer, expliqua Boulet. On risque de se transformer en sous-marin. D'ailleurs, je pense qu'une petite toilette te ferait le plus grand bien.

Samek se sentit touchée à vif dans son amour-propre. C'était vrai qu'elle ne sentait pas bon. Elle était méconnaissable. Ses cheveux étaient encroûtés. Ses vêtements dégageaient une odeur de moisi. Par son silence, elle approuva la halte, malgré son impatience d'arriver sur le lieu des fouilles.

Boulet mit la *Pitoune* debout au vent et ses voiles tombèrent comme des sacs de patates. Lorsqu'il voulut jeter l'ancre, il s'aperçut qu'elle ne tenait qu'à un fil. Il dut donc réunir des bouts de cordage pour fabriquer un câblot de fortune.

La *Pitoune* s'immobilisa sur son mouillage.

Puis, tandis que Boulet descendait discrètement dans la cabine, Samek se dévêtit et s'aspergea généreusement d'eau de mer. Peu à peu, les dernières traces de mal de mer s'effacèrent.

Boulet revint sur le pont où Samek séchait ses cheveux. Il s'arrêta dans l'écoutille, obnubilé par le tableau lumineux qui s'offrait à lui. « Qu'elle est belle cette Samek », songea-t-il. Samek, l'indomptable fille des dieux, l'infatigable sauvageonne, l'infaillible devineresse. Samek, l'exotique, offrait au soleil les reflets de son corps harmonieux.

Un chalutier vint s'ancrer à quelques encablures de la *Pitoune*.

— Regarde, dit Boulet, on a un voisin. Il nous a suivis depuis Saint-Thomas.

Samek fronça les sourcils.

— Il me semble qu'il était accosté au port de Charlotte-Amalie.

— Bizarre de bateau, fit Boulet.

— Bizarre? s'enquit Samek en s'habillant.

— Ouais. On dirait un bateau de pêche. Mais un chalutier sans filet, sans treuil et sans ligne… Je me demande ce qu'il vient faire ici.

— Bof! fit Samek, la mer ne nous appartient pas. Tu deviens parano, Éphraise.

Ils distinguèrent les silhouettes de quatre hommes qui s'affairaient sur le pont du chalutier. Après avoir mis une chaloupe à la mer, ils l'arrimèrent, puis disparurent dans la cabine.

Samek et Boulet s'installèrent paresseusement dans la langueur de l'après-midi.

Le soir venu, ils se serrèrent l'un contre l'autre dans le halo jaune de la lampe à huile et consultèrent les livres sur Colomb que Samek avait apportés de l'université. Le vent avait faibli. Il faisait doux. Le voilier était immobile. Ils étaient bien. Le lendemain, ils allaient repartir vers Samana.

Plongés dans la lecture et engourdis par la quiétude du soir, ils sursautèrent lorsque, soudain, on cogna sur la coque du voilier.

— C'est sûrement le bateau voisin, marmonna Boulet en sortant.

Il reconnut aussitôt la voix.

— On ne vous dérange pas? dit Nappie sans

attendre la réponse. On passait par ici, alors on s'est dit, ben, on se connaît, alors il faut se saluer. Le monde est petit, vous ne trouvez pas ?

Boulet ne fit même pas l'effort d'un sourire poli. Il n'offrit pas, non plus, d'invitation à monter à bord. « C'est donc lui qui nous a suivis », pensa-t-il. Une vraie mouche du coche. Il était accompagné de trois sombres individus aux traits sud-américains.

Frustré d'avoir été arraché à un moment de doux romantisme, Boulet dit d'un ton bourru :

— Je peux faire quelque chose pour vous ?

— Ben... heu... on peut monter à bord ? dit Nappie.

— C'est qu'on part à l'aube, répondit Boulet. On allait se coucher. Faudra remettre ça.

— Ah ? fit Nappie en regardant ailleurs, de son air trop innocent pour être innocent. Vous partez demain ? Vous... heu... ne restez pas ici ? Je veux dire, ce n'est pas ici que vous allez plonger ?

— Non, répondit Samek qui était venue rejoindre Boulet sur le pont. On est juste venus passer la nuit ici.

— Ah bon ! ah bon ! Vous allez à Saint-Domingue ?

— Samana.

— Samana ? fit Nappie en hochant la tête. C'est bien beau pour la plongée, n'est-ce pas ? Il se tourna vers ses compagnons qui l'approuvèrent sur-le-champ. Bon, ben, on ne vous dérangera pas plus.

L'un des hommes donna un grand coup de coude à Nappie.

— Ah! J'oubliais. J'étais venu vous demander un petit service. C'est qu'on a des problèmes avec notre toilette. Je ne sais pas, c'est sans doute le siphon. Je voudrais voir comment le vôtre est installé. Ce ne sera pas long, juste le temps de voir. Je peux?

Boulet lança à Samek un regard accusateur. N'était-ce pas elle qui avait mis cette plaie sur leur chemin? D'un mouvement de tête peu enthousiaste, il fit signe à Nappie de monter à bord.

— Bonjour madame Samek, dit-il avant de descendre dans la cabine. Il y resta trois minutes puis revint sur le pont.

— Merci, merci, merci, insista-t-il obséquieusement. J'ai vu comment c'était fait un siphon de toilette. On n'arrivait pas à actionner la chasse d'eau de notre bateau. Vous imaginez l'odeur.

— Au fait, demanda Samek, qu'est-ce qui vous amène par ici?

— Ben… Nappie se tourna vers ses hommes. Ben, vous aurez peut-être besoin d'aide. On a toujours besoin d'un ange gardien, n'est-ce-pas? Je vous ai rendu service à Saint-Thomas. Je peux encore le faire. C'est pas pour l'argent, je vous jure. C'est parce que je vous aime bien. C'est comme ça. Allez. À la prochaine, dit-il en offrant sa main squelettique à Boulet.

Boulet ne répondit pas et retourna dans la cabine avec Samek.

Au lever du jour, le chalutier avait déjà disparu. La *Pitoune* appareilla pour Samana. Le vent n'était plus qu'une légère brise.

Vers midi, les montagnes d'Hispaniola apparurent comme un mirage qui se matérialise. Ils naviguèrent le long de falaises abruptes et s'engagèrent dans la grande baie de Samana, tout comme l'avait fait Colomb au terme de son premier voyage.

Le village de Samana était niché au fond de la baie.

— Savais-tu, dit Samek, que c'est ici qu'eut lieu la première bagarre entre Européens et Américains?

— C'est ici que le bain de sang a commencé? demanda Boulet.

— Non, reprit Samek. La première bagarre n'a pas été un bain de sang. C'est ici que pour la première fois, Colomb rencontra un peuple indigène armé d'arcs et de flèches. C'est pourquoi il a baptisé cet endroit, la Baie des Flèches. Il y a eu un malentendu et un Espagnol a donné de l'épée dans le derrière d'un Caraïbe.

— Ben voyons, Sam. Comment sais-tu ça?

— L'anecdote est décrite dans les relations de l'historien Las Casas. Il dit clairement: *un coup d'épée dans la fesse.*

— Ça a dégénéré en peu de temps, ajouta Boulet. Ce qui prouve qu'on sait toujours comment une guerre commence, mais jamais comment elle finit. Un coup d'épée dans la fesse a tourné en vingt-cinq ans au génocide.

Quelques barques étaient ancrées au fond de la baie. Une vedette de l'armée était accostée à un quai de bois où deux soldats armés de mitraillettes se tenaient au garde-à-vous. Le chalutier de la nuit précédente occupait le bout du quai. Il semblait inhabité.

Ils accostèrent et firent mander les autorités portuaires afin de subir les procédures de douane et d'immigration.

Trois agents se présentèrent à la *Pitoune*.

Ils portaient tous trois des uniformes d'Halloween. Le plus remarquable dans leur accoutrement, c'était l'indécence de leurs armes. L'un portait un Magnum 44 dont le canon lui arrivait au genou, l'autre, un automatique chromé à crosse de nacre, tandis que le troisième était équipé d'un fusil de chasse tronqué. Ils portaient leur cerveau à la ceinture.

Comme ils l'avaient fait à Saint-Thomas, Samek et Boulet dirent qu'ils étaient en vacances. Les agents baragouinèrent en espagnol et s'esclaffèrent d'un rire aussi gras que les empreintes graisseuses qu'ils laissèrent sur les passeports. Puis, brusquement, ils quittèrent le bateau.

Boulet largua les amarres et, suivant les indications de Samek, il jeta l'ancre à l'entrée de la baie, là où l'eau devenait plus profonde, à une centaine de mètres au large d'un fortin en ruines.

La *Pitoune* était exposée au vent et à la mer.

— Ce n'est pas très sûr ici. Y a-t-il une raison

pour mouiller à cet endroit ? demanda Boulet.

— C'est ici que Gabriel a trouvé le fragment de marbre. Tu vois, le petit fort là-bas, dans les buissons ?

Boulet plissa les yeux pour mieux le distinguer.

— Quel fort ? dit-il. Je vois à peine trois cailloux alignés.

— Ils l'appellent le fort de Colomb, précisa Samek.

— Ah ? Après tout, c'est bien vrai que Colomb est venu ici, ajouta Boulet.

— Mais ce n'est pas son fort, corrigea Samek. Colomb n'a jamais construit de fort ici. Il ne s'y est arrêté que brièvement pour calfater son bateau.

— Mais alors, fit Boulet, pourquoi parlent-ils du fort de Colomb ?

— Il y a tellement de controverses autour du personnage de Colomb que tout le monde revendique, à tort, le lieu de ses exploits.

— Controverse au sujet de Colomb ? Mais son livre de bord ne décrit-il pas en détail les péripéties de ses voyages ?

— Faux, archifaux mon cher Éphraise. Le livre de bord original de Colomb n'a jamais été retrouvé. Seules trois personnes l'ont eu entre leurs mains : Isabelle 1ère la Catholique, Diego, le fils aîné de Colomb, et Bartolomé de Las Casas, le biographe de Colomb. C'est ce dernier qui, trente ans après la mort de l'Amiral, a réécrit le récit de ses voyages dans l'*Historia de*

Las Indias, publié seulement en 1875.

— L'histoire des Indes? s'enquit Boulet. On n'est pas aux Indes à ce que je sache.

— Espèce d'inculte, dit Samek. Colomb croyait avoir découvert les Indes. Enfin, il est important de savoir que le compte rendu de ses voyages n'est pas de première main. Las Casas s'est basé sur le livre de bord de Colomb pour écrire ses récits mais il les a considérablement romancés. L'*Historia de Las Indias* est une réécriture incomplète et subjective des voyages de Colomb en Amérique.

Boulet hocha la tête.

Samek poursuivit:

— Les imprécisions, omissions et descriptions vagues qu'on retrouve dans Las Casas expliquent les nombreuses controverses sur Colomb. Tiens, par exemple, on ne s'entend même pas sur le lieu où Colomb a touché terre.

— C'est aux Bahamas, non? avança Boulet.

— Oui, mais où aux Bahamas? On a toujours cru que c'était à San Salvador que Colomb est arrivé en premier, l'île la plus orientale de l'archipel. Puis, voilà que récemment, les résultats d'études informatisées ont conclu non pas à San Salvador comme lieu d'atterrissage, mais plutôt à un îlot plat que Colomb a baptisé Cipangu et qui porte aujourd'hui le même nom que la baie où nous sommes, c'est-à-dire Samana.

— Et qui a raison selon toi? demanda Boulet.

— Je ne sais pas, mon gars, je ne sais pas. La

réponse est dans le livre de bord original de l'Amiral de la Mer Océane. Le jour où l'on trouvera ce livre — s'il existe encore — on aura l'explication de l'énigme. Tu sais, peut-être que la stèle que nous cherchons nous éclairera là-dessus.

Samek regarda au loin. Elle contempla les palmiers qui luisaient sous le soleil antillais.

— Quel lieu féerique, dit-elle.

— Ouais, c'est poétique en titi, fit Boulet.

Samek soupira.

* * *

Chapitre 5

La baie de Samana était délimitée au nord par une falaise abrupte coiffée de végétation tropicale. Au sud, un pont piétonnier reliait un hôtel, inoccupé en cette saison, à un îlot de sable. À l'est, la baie s'ouvrait sur le détroit de Mona et l'Atlantique, tandis qu'à l'ouest, s'avançait le quai public près duquel une rivière d'écoulement déversait ses eaux sales.

Parsemées au hasard du relief accidenté, des maisons aux tons pastel constituaient le village. En cette fin d'été antillais, la chaleur écrasante rendait les Samanois indolents. Tôt le matin, ils se contentaient de soigner les animaux domestiques et, le reste du jour, ils somnolaient. Le soir, ils s'adonnaient aux activités sociales. Le mardi, ils acceptaient de sortir de leur léthargie et se rendaient au marché.

La *Pitoune* était le seul yacht étranger dans la baie. Elle était ancrée à cent mètres du rivage, dans trois brasses d'eau laiteuse, souillée par les déchets du village.

Samek et Boulet assemblèrent l'attirail de plongée acheté à Saint-Thomas. Les détendeurs archaïques et les bouteilles corrodées s'ajustaient encore.

Après d'ingénieux tours de passe-passe mécanique et dans un ultime effort, le vétuste compresseur se mit finalement à pétarader pour remplir les bouteilles.

Avec tout cet équipement rouillé et rafistolé, dégoulinant d'huile, la *Pitoune* avait l'air d'une boutique de brocanteur.

Samek travaillait avec enthousiasme. Son impatience était telle qu'à deux reprises, elle installa son détendeur à l'envers. Elle était comme une gamine devant une boîte de caramels enrobés de chocolat. Elle mourait d'envie d'entreprendre les fouilles.

Boulet descendit dans la cabine, donna ses quarante coups de pompe et réchauffa un peu de café.

Lorsqu'il revint sur le pont, Samek était assise, à moitié enfoncée dans un sac de voiles. Ses longs cheveux noirs flottaient dans l'alizé. Elle portait un vieux jean découpé pour la plongée. Sur son T-shirt délavé, un dessin montrait Einstein tirant la langue.

«Si Samek avait été joueur de hockey, songea Boulet, elle aurait été du genre bagarreur, bon patineur et mauvais perdant ». Il s'approcha d'elle et lui offrit une tasse de café puis, il s'assit à ses côtés et se laissa entraîner dans ses élucubrations archéologiques.

— Tu connais mon approche peu orthodoxe des problèmes d'archéologie, dit-elle en mettant une douzaine de sucres dans sa tasse. Je me fous de Descartes et d'Aristote. J'enfreins les règles de la méthode scientifique mais j'arrive toujours au but de mes recherches. Vive l'intuition !

— Sam, où veux-tu en venir ? Pourquoi cette leçon d'émisté... d'épisto...

— D'épistémologie, corrigea Samek. Ce que je veux dire, c'est que ma méthode marche et tu vas bientôt en avoir la preuve. Je ne comprends pas pourquoi une stèle colombienne se trouve ici, mais je te jure qu'on va éclairer nos lanternes.

— Je te fais confiance, dit Boulet en souriant. Il avait depuis longtemps renoncé à comprendre la logique de Samek.

— Bon, fit Samek. Allons-y pour les grands moyens.

— Les grands moyens ? s'enquit Boulet. Ah ! je vois. On va appliquer ta méthode scientifique. Ta méthode dynamite. Tu sais, ce n'est pas avec de la dynamite qu'on passera inaperçus. Tes grands moyens sont peu discrets, chère professeure Garnotte.

— Tu me fais confiance ou pas ?

— Ouais, d'accord, dit Boulet.

Ils se mirent au travail et déposèrent les

bâtons de dynamite dans des sacs étanches.
Puis, ils les joignirent à une longue mèche aqua-
fuge. Ensuite, ils fabriquèrent un détonateur
rudimentaire, alimenté par le courant du voilier.

Quand tout fut prêt, Samek annonça:

— Il est midi, c'est le temps de plonger.

Ils endossèrent leur harnais de plongée, enfilèrent leurs palmes et ajustèrent leur masque.

Samek décrivit une ligne imaginaire qui
reliait le bateau au quai du village.

— Nous devons suivre cette ligne, dit-elle.
Allons-y!

Ils firent dos à la mer et se lancèrent à l'eau.

Boulet palmait comme une roche. Il était, de
toute évidence, plus à l'aise sur la glace. Par
contre, Samek, plongeuse expérimentée, se
sentait en harmonie avec l'apesanteur du milieu
sous-marin. La plongée représentait à ses yeux
ce qui s'apparentait le plus au voyage spatial.

La visibilité sous-marine se limitait à quelques mètres. Une vase gluante recouvrait le
fond de l'eau. Ici et là, des gorgones décolorées
dansaient au gré de la marée. Une raie se détacha de la boue et s'envola comme une soucoupe
volante.

Samek descendit au fond et s'immobilisa
dans la vase. Boulet vint l'y rejoindre. Ne dispo-
sant pas de veste de flottaison ils durent marcher dans la boue. Samek vérifia sa
boussole-bracelet et indiqua la direction à suivre. Avec beaucoup de peine, ils parcoururent
quelques mètres en déroulant la mèche héris-

sée de bâtons de dynamite.

Boulet épuisa rapidement sa réserve d'air si bien qu'ils durent se résoudre à remonter. À grands coups de palmes, ils refirent surface et enlevèrent leur masque.

— C'est mort comme sur la lune, dit Boulet en reprenant son souffle.

Ils se hissèrent à bord du voilier, enlevèrent leur équipement et s'asséchèrent.

Un mouvement indistinct attira l'attention de Boulet. Il se tourna vers le haut de la falaise et fit un pare-soleil de sa main.

— On a des spectateurs, fit-il.

— Passe-moi les jumelles, dit Samek.

— Elles sont inutilisables, répondit Boulet. Bilodo a dû les nettoyer avec de la laine d'acier. Je peux apercevoir des gens qui nous observent depuis les ruines du fort.

— Nos voisins de la nuit dernière, dit Samek. Si leur chalutier est ici, c'est qu'ils sont ici.

— Quelle logique, fit Boulet. Ils nous laissent chercher et quand nous aurons trouvé, ils nous sauteront dessus.

— T'inquiète pas, Laframboise. Ils vont être déçus. C'est pas de l'or qu'on cherche.

— Des paresseux. À part ça, je t'ai déjà dit de ne pas m'appeler Laframboise.

— O.K., Éphraise, dit-elle, moqueuse.

La lourdeur de l'atmosphère annonçait un orage imminent. À l'est, des cumulo-nimbus formaient des panaches gros comme des champignons atomiques.

Samek scruta les nuages.

— C'est le temps, dit-elle. Tu vas voir qu'une Garnotte peut être très discrète. Nous les sauvages, connaissons l'art du mimétisme.

— Je ne comprends pas, fit Boulet, perplexe.

— On va faire sauter la dynamite pendant l'orage pour camoufler les explosions dans le tonnerre. Ni vu ni connu.

Ce n'est que vers la fin de l'après-midi que le ciel s'obscurcit. L'air fraîchit subitement. La pluie arriva et bientôt martela le pont comme un tambour martial. Le vent siffla à travers le gréement. Le câblot d'ancre se tendit comme un élastique. La *Pitoune* se cabra contre les vagues hautes et courtes qui s'étaient formées presque instantanément.

Le vent se déchaîna. La mer devint mauve. Le ciel tourna au vert. Au premier coup de tonnerre, Boulet établit le contact du détonateur.

Il y eut un crépitement. Puis, un éclair aveuglant comme un million de torches électriques enveloppa le bateau, la mer, la baie. L'univers tout entier prit feu. Les cheveux de Boulet et de Samek se dressèrent sur leur tête. L'atmosphère se chargea d'une forte odeur de soufre et d'ozone.

Peu à peu, l'éclair s'évanouit. Une fumée dense et âcre montait de la cabine.

— Le feu! cria Boulet.

Il s'engouffra dans la cabine enfumée et, à tâtons, trouva l'extincteur. Il était vide. Il arracha une à une les planches du compartiment du moteur et se précipita dans le noir. Suffocant, il débrancha le système de batteries d'accumulateurs. Aussitôt, la fumée se résorba. Il revint vite sur le pont.

— Un court-circuit doublé d'une décharge atmosphérique, dit-il en s'essuyant les yeux.

— Un éclair nous est tombé dessus. Mais l'orage est passé, vois comme c'est calme.

Leurs regards se posèrent simultanément sur la surface de la baie où flottaient des poissons, des morceaux de bois, des lambeaux de tissu, un pneu, des condoms.

— Ça a marché! jubila Samek. La dynamite a explosé!

— Ta méthode subtile a réussi, ironisa Boulet. C'est l'orage qui a allumé la mèche et déclenché l'explosion.

— Ne perdons pas de temps. Allons-y, fit Samek.

Ils replongèrent.

Cette fois, ils eurent droit à un paysage d'hécatombe. Des cratères, des morceaux de corail, des nuages de boue, des crabes affolés.

Samek nageait en regardant de tous côtés. Elle soulevait chaque pierre, chaque débris. Elle enfonçait ses mains jusqu'au coude dans la vase. Sa ferveur n'avait d'égal que le flot continu des bulles qui s'échappaient de son détendeur. Boulet se contentait de la suivre.

Soudain, ils aperçurent une vaste tranchée creusée par la dynamite. Des bouts de planches dépassaient de la vase. Samek, entourée d'un nuage de matières en suspension, se mit à les dégager. Elle attira l'attention de Boulet sur une roche plate qui sortait du trou.

Dans le masque, il vit son amie écarquiller ses yeux en amande. Elle tentait de dégager la roche de la vase. Boulet comprit aussitôt qu'il devait l'aider à soulever ce qui ressemblait à une dalle. Ils se mirent au travail.

À ce moment, une ombre grise entra dans leur champ de vision. L'ombre grossissait en traçant des cercles autour d'eux. Un énorme requin-marteau rôdait, menaçant, curieux, imprévisible. Le squale tourna autour des plongeurs, attiré par le brouhaha et la viande fraîche. Il s'approcha. Boulet et Samek, enfermés dans un nuage de poussière, ne purent l'apercevoir qu'à la dernière minute. Boulet se figea de peur tandis que Samek offrit au prédateur un superbe pied de nez. Elle n'avait pas de temps à perdre avec de telles pacotilles. Insulté, le requin disparut dans un grand coup de queue.

Ils continuèrent à creuser autour de la dalle.

Malgré les particules en suspension qui les aveuglaient, ils réussirent à dégager la pierre rectangulaire dont il manquait un coin. Puis, alourdis par leur trouvaille, ils regagnèrent le voilier.

Sitôt son détendeur enlevé, Samek s'écria:

— On l'a! On l'a trouvé!

Jusqu'au coucher du soleil, ils grattèrent le spécimen et le nettoyèrent avec précaution afin d'en dégager le corail, les algues et la boue. Puis,

Samek se leva sous la lumière ambre du soir et, solennelle, fit une déclaration :

— Mon vieux Boulet, nous avons trouvé ce que nous cherchions. Regarde.

Elle exhiba la stèle d'un mètre sur soixante-dix centimètres. Elle était de la même couleur et de la même texture que le fragment trouvé par Gabriel. Il s'agissait bien d'une plaque de marbre sur laquelle des inscriptions étaient gravées.

Samek descendit dans la cabine et en revint aussitôt avec le fragment que lui avait remis son frère. Elle l'ajusta au coin de la stèle. Les pièces s'épousaient comme celles d'un casse-tête. La signature de Colomb était complète. Samek avait vu juste.

Elle examina les inscriptions à la lueur d'une torche électrique. Laborieusement, elle les transcrivit dans son carnet de notes.

Boulet n'osa entraver la magie du moment et se contenta d'observer en silence.

Puis, le texte de la stèle recopié dans le carnet, ils descendirent dans la cabine pour l'analyser à l'aide de quelques livres que Samek avait apportés.

— Qu'est-ce que ça dit ? demanda Boulet.

— Du latin, répondit Samek. Elle se pencha sur le papier. Ça pourrait se traduire comme ceci :

Au nom de la... Trinité, avec la grâce de Nos Seigneurs Don Ferdinand et la reine Doña Isabelle, et en tant... Océane, vice-roi et

gouve... de l'île Espagnole, des îles des
Cannibales et de... je nomme Don Diego,
mon fils, successeur de mon Majorat des Indes
Occidentales. À l'honneur, au bien et à la
prospérité de la ville de Gênes. En foi...
de mon nom.

.S.
.S.A.S.
X M Y
Christo Ferens

— Un majorat ? s'enquit Boulet.

— C'est un bien rattaché à la possession d'un titre de noblesse qui est toujours transmis, avec le titre, au fils aîné d'une famille. Dans ce cas, il s'agit de Colomb qui lègue ses possessions et ses titres à son fils Diego.

— Bravo Sam, dit Boulet, ému. Il la serra contre lui. Mais pourquoi es-tu songeuse ? Tu as réussi, ta mission est accomplie. Il faut célébrer ça.

Elle se dégagea de son étreinte et ouvrit un gros bouquin. Elle en tourna les pages et s'arrêta sur celle intitulée Codicille.

— Vois-tu, Boulet, selon un codicille dicté par Colomb juste avant sa mort, cette stèle aurait dû être érigée dans l'église de la Conception, pour rappeler à tous ses dernières volontés. L'église de la Conception est devenue la cathédrale de Saint-Domingue. Alors, pourquoi cette dalle est-elle ici, à Samana ?

— Peut-être qu'elle a été volée puis perdue ici ? suggéra Boulet.

— Non, je ne pense pas, rétorqua Samek. Tu as vu les débris de planches dans l'eau ? Il y a une épave tout près. La stèle faisait peut-être partie de sa cargaison. Il faudrait identifier cette épave qui, à mon avis, n'est pas très vieille.

— Je comprends, dit Boulet. Ne m'as-tu pas dit que le corail autour du fragment datait de 1800 ? Ça pourrait être la date du naufrage ?

— Pas mal pour un joueur de hockey, dit-elle. Il s'est passé quelque chose ici en 1800 qui a un rapport avec Colomb et notre stèle commémorative.

— Moi, y en a fier de toi, dit Boulet en riant. Maintenant, nous manger.

— Demain, on va fouiller l'épave, dit-elle. Peut-être n'est-ce qu'une barque locale. Nous verrons bien.

Soudain, une secousse ébranla la Pitoune. Puis, des bruits de bottes résonnèrent sur le pont. Samek et Boulet se regardèrent, surpris, et sortirent.

Quatre policiers, mitraillette à la main, examinaient la stèle, le compresseur et les bouteilles de plongée. Le plus galonné des cowboys prit la parole.

— Police. C'est une fouille, dit-il en espagnol.

— Une fouille ? répéta Samek, éberluée.

Sans hésiter, le policier ordonna à ses acolytes de descendre dans la cabine.

Boulet et Samek durent attendre sur le pont.

— Mais qu'est-ce qu'ils cherchent ? demanda-t-elle.

— Aucune idée, répondit Boulet. J'ai, comme qui dirait, un mauvais pressentiment. On aurait peut-être dû prendre le temps d'obtenir la permission de plonger ici.

— Impossible, répondit Samek. Tu connais la bureaucratie des républiques de bananes. De toute façon, nous n'avons rien volé.

Les policiers émergèrent de la cabine. L'un d'eux tenait la boîte de dynamite, et l'autre, un sac de plastique rempli de poudre blanche. Il remit le sac à l'officier qui sourit et se tourna vers Boulet et Samek.

— De la farine, me direz-vous ?

Boulet haussa les épaules.

— Probablement. Je ne sais pas ce que c'est.

— De la cocaïne ! fit l'officier, triomphant.

— Quoi ? s'exclama Boulet. Mais...

Il se tourna vers Samek, interloqué.

— Mais... ce n'est certainement pas à nous. Nous n'avons jamais touché à de tels poisons, protesta-t-il.

— Évidemment, fit le chef. Suivez-nous !

Ils descendirent tous les six dans la chaloupe qui n'avait plus que quelques centimètres de franc-bord. Les agents rigolaient, fiers de leur coup de filet.

— La visite de Nappie, chuchota Boulet.

— Hein ? fit Samek.

— L'histoire du siphon. La toilette. Nappie, hier soir, insista-t-il. C'était une diversion pour dissimuler la drogue.

— Silence ! cria l'officier.

Ils accostèrent au quai. Dans le chalutier, il y avait de la lumière. On entendait des éclats de voix. On semblait s'amuser ferme.

Boulet et Samek furent conduits au village et enfermés dans la prison.

* * *

Chapitre 6

La rumeur d'un trésor espagnol dans la baie de Samana faisait bien rire les habitants du village. Tant de touristes avaient exploré ces eaux au fil des années qu'il n'y restait plus le moindre coquillage.

Ce qui ne faisait pas rire les villageois, c'était la nouvelle de l'arrestation de touristes canadiens venus à bord d'un yacht. La drogue était un sujet délicat dans ces parages.

Dès que Samek et Boulet furent incarcérés, l'équipage du chalutier se mit à l'œuvre.

Le capitaine était un grand chauve aux oreilles décollées. Son autorité était proportionnelle au volume de sa voix. Il passait son temps à hurler des ordres à son équipage composé de Jojo le Bègue au crâne de pithécanthrope et de Fifi l'Édenté au cou de taureau.

Il y avait aussi Nappie qui ne faisait pas vraiment partie de l'équipage. Il était le cerveau de l'opération. C'est lui qui détenait l'information.

Ils fouillèrent la *Pitoune* de fond en comble, la cabine, la cale et le compartiment du moteur. Toutefois, cette descente en bonne et due forme ne rapporta pas grand-chose. Ils ne trouvèrent que quarante-deux dollars et quelques sous, les vêtements de Boulet, des livres, un caillou, des boîtes de fèves au lard, un guide de navigation.

Il n'y avait pas de carte du trésor. Pas de livre de bord. Pas de journal. Rien. Il n'y avait que la stèle gravée, et surtout, la traduction qu'en avait faite Samek. Ce texte incompréhensible révélerait peut-être le secret de la cachette mirobolante. Ils décidèrent de le conserver. À force de le lire, ils finiraient peut-être par le décoder.

Ils remorquèrent la *Pitoune* jusqu'au fond de la baie et l'abandonnèrent dans un mètre d'eau. En quelques heures, la quille s'enfonça dans la vase, les voiles devinrent des loques et le cockpit disparut sous les vagues. Le pauvre voilier agonisa aux yeux de tous. Personne ne voulut de ce rafiot.

La première étape du plan de fouilles consista à quadriller la baie à l'aide de bouées de pêche. L'équipage du chalutier ne laissa rien au hasard. Le capitaine avait déjà participé à des chasses au trésor. Ils allaient procéder en professionnels.

Ils draguèrent le fond de toute la baie en traînant une série de grappins.

Ils repêchèrent la carcasse gonflée d'un porc, plusieurs pneus, un chariot de supermarché, le pare-chocs d'une Buick 52.

De trésor espagnol, aucun signe.

Il se résolurent donc à fouiller plus profondément dans la vase de la baie.

Ils installèrent le compresseur de la *Pitoune* sur la plage arrière du chalutier. Ils y raccordèrent un tuyau flexible de gros diamètre et une valve rotative. Un peu de ruban gommé ici et là, quelques serre-joints, deux boulons et le tour était joué. L'équipage disposait dorénavant d'un aspirateur géant qui allait sucer la vase et cracher son contenu.

Ils commencèrent à l'endroit où la *Pitoune* s'était ancrée, au large du fort. Si la fille archéologue avait choisi cet emplacement, il devait y avoir une bonne raison.

L'aspirateur de fond de l'eau était bien primitif. Au début, Jojo le Bègue et Fifi l'Édenté perdaient le contrôle du tuyau qui, sous la forte pression, se mettait à leur cracher au visage une boue visqueuse et collante.

Les pêcheurs qui passaient par là le matin et le soir avaient bien de quoi se dilater la rate. «Ces hommes, songeaient-ils, se donnent un mal fou pour rien. La baie a été fouillée génération après génération. S'il y avait eu un trésor, on l'aurait trouvé depuis longtemps».

Le compresseur grondait jour et nuit. Il ne s'arrêtait que pour permettre à l'équipage de plonger dans la montagne de vase sur le pont.

Jojo et Fifi, dans la mare de vase jusqu'à la taille, enfonçaient leurs bras dans le tas espérant y trouver quelque pièce d'or prometteuse. Ils ressemblaient au monstre *The Mummy*.

Ils trouvèrent des bouteilles vides, des cannettes d'aluminium, des bouteilles de javel, des filets déchirés, des sacs de plastique, du corail mort, des gorgones décolorées et des vers de feu dont la morsure provoque de terribles démangeaisons.

Ils déplacèrent le chalutier vers le quai du village, mouillèrent l'ancre de nouveau et se remirent à aspirer le fond. Une nouvelle montagne de vase se retrouva sur le pont. Jojo et Fifi replongèrent dedans. Mais leur enthousiasme s'épuisait. Les vers toxiques étaient nombreux.

— De la va va va... Rien que de la va vaaa... tenta de dire Jojo. Delavase, réussit-il à dire.

— Ta gueule, fainéant! hurla le capitaine. Garde ton énergie pour le travail.

Fifi, affecté au ramassage de la boue, faisait un excellent fossoyeur.

— F'est pas ifi qu'il faut ferfer, dit-il.

— La ferme! lança le capitaine.

Soudain, le compresseur qui déversait un jet continu de boue, se mit à roter. Le tuyau eut un mouvement péristaltique et dégurgita un gros morceau dur. Ce n'était cette fois ni du plastique, ni de l'aluminium. C'était du bois. Du bois pourri, mangé par les tarets, mais du bois quand même. Le bois fait bon ménage avec l'or. Peut-être ce bois venait-il d'un grand, d'un immense coffre.

Le bègue dégagea de la vase une planche d'un mètre de longueur. Il la retourna et y remarqua des entailles profondes et géométriques. Il passa la planche à l'eau de mer et la frotta ensuite avec une brosse.

— Hé! Les g-g-g-gars! s'exclama Jojo.

Fier de lui, il exhiba la planche noircie. Le capitaine aperçut les marques. C'étaient des lettres sculptées.

— *E R T A D*, fit-il en appuyant bien sur chaque lettre. On dirait le bordé d'une chaloupe. Les gars, il y a une épave dans le coin. S'il y a une épave, il y a un trésor. On creuse!

À ce moment précis, le tuyau cracha un objet en métal. C'étaient les restes rouillés d'une arme à feu antique.

— Et fa? fit l'édenté en brandissant le canon.

Le capitaine prit l'arme, l'examina et la rejeta à l'eau.

— De la ferraille, dit-il. C'est de l'or qu'on veut! DE L'OR!!

Ils creusèrent jusqu'à cinq mètres de profondeur dans la vase. Rien. Pas le moindre lingot. Pas même une modeste pièce de monnaie ancienne. La journée s'avérait un échec.

Et le jour suivant. Et l'autre après.

Au bout de trois jours, ils avaient ratissé le fond de la baie entière. La fièvre de l'or se mit à faiblir, la foi à s'effriter. Le rêve devenait frustration. De toute évidence, il n'y avait pas de trésor dans cette baie.

Tous ces jours de labeur pour rien. Parce qu'un Nappie, supposément informateur averti, avait cru à l'existence d'un trésor. Des promesses d'ivrogne.

Le capitaine avait perdu la face devant ses hommes de pont. Jojo avait perdu tout contrôle de sa langue et Fifi avait perdu l'épiderme de ses bras. Constatant leur échec, les trois hommes s'unirent dans leur désir commun de vengeance. Ils se dirigèrent vers la cabine.

Jojo le pithécanthrope et Fifi le taureau suivirent sans hâte le capitaine gueulard dans la cabine où Nappie se prélassait depuis le début des fouilles. Ils se frottaient les mains de plaisir anticipé.

Comme d'habitude, Nappie dormait recroquevillé comme un lombric en hiver. Des douzaines de cannettes vides entouraient son corps ratatiné.

Le capitaine décocha un violent coup de pied dans les côtes du dormeur. Nappie se tordit sur la banquette, le souffle coupé.

Puis, il se releva lentement et, mains jointes, larmes aux yeux, il distribua à la ronde des sourires niais.

— Tu nous as roulés, grogna le capitaine. Il n'y a pas de trésor ici.

— Mais non, mais non, je ne me suis pas trompé, protesta Nappie. Les Canadiens sont venus exprès pour un trésor. Garanti qu'il y a un trésor. Je ne me trompe jamais. Dieu est avec moi. Je jure. Je… je…

Nappie cracha et leva sa main droite au-dessus d'une bible invisible.

— Je le jure, ajouta-t-il. Heu… Attendez, j'ai une idée. Oui oui, j'ai une idée. Je pense. Je réfléchis. Oui, c'est ça. Je peux savoir où est le trésor. Je vous jure les gars.

— Vieille varlope, fit le capitaine. Tu vas payer pour la drogue qu'on a gaspillée. Pour le temps perdu. Tu vas aussi payer les intérêts.

Nappie hocha la tête nerveusement, en implorant de ses yeux globuleux.

— Non! Je peux vous aider! Il y a un trésor ici. Je… je… Je vais questionner la fille.

— La fifi… la fifi… la fifi, tenta de dire Jojo.

Il afficha un sourire débile et approcha de Nappie ses mains grosses comme des enclumes.

— O.K., les gars, dit le capitaine, il est à vous. Ne vous privez pas mais ne le brisez pas trop non plus.

— Non… Non… pleura Nappie. Je ne supporte pas la douleur. Je vous en prie. Par tous les chérubins du ciel. S'il vous plaît, supplia-t-il, soyez sportifs, les gars. Entre bons chrétiens.

Le capitaine tourna le dos et sortit sur le pont.

Il s'affaira à rejeter à la mer l'équipement qui avait servi aux recherches: compresseur, tuyau et tout. Enfin, il aspergea libéralement le pont pour en effacer les souillures de vase.

Pendant ce temps, des hurlements mêlés de

pleurs fusaient de la cabine. Nappie était passé à tabac et ce, sans filtre.

En République Dominicaine, on n'utilisait pas les prisons à outrance. Elles coûtaient trop cher à l'État. On administrait la justice sur place. C'est pourquoi, dans la prison de Samana, il n'y avait qu'une cellule.

Samek et Boulet avaient au moins le privilège d'être enfermés ensemble.

Boulet avait une expérience limitée de la prison. Trois ans plus tôt, il avait passé une nuit dans la prison de Winnipeg. Il avait engagé une bagarre de bar pour défendre une jeune Noire insultée par un *skin head*.

Samek, quant à elle, avait moisi une semaine entière à la prison des femmes de Québec. Elle avait été reconnue coupable d'agression contre un marchand d'armes qui avait vendu des fusils d'assaut à des Mohawks de la région de Montréal.

Ils découvrirent vite que les prisons d'Amérique étaient infiniment plus hospitalières que celles du Tiers-Monde.

Pendant les quatre jours d'internement qui suivirent leur arrestation, ils ne purent voir le jour. Leur cellule, à peine plus grande qu'un débarras, ne comportait ni fenêtre, ni lit. Ils disposaient d'un pot rouillé pour leurs besoins et cela exigeait de leur part une bonne dose de dignité.

Tous les jours, on leur servait un plat de baliste, sorte de crapet tropical à la morsure venimeuse, agrémenté de mouches et de vairons. Pour boire et se laver, la police leur offrait le luxe d'un bidon d'eau saumâtre.

À l'exception du gardien qui venait leur donner à manger, ils ne reçurent aucun visiteur. Ignorant tout du sort qui les attendait, ils tuaient le temps en s'adonnant à des exercices d'assouplissement mental tels que charades et devinettes. L'exiguïté de la cellule empêchait toute gymnastique physique. La dureté du sol et la chaleur étouffante avaient réduit leur sommeil à de courtes périodes agitées. Une simple douche aurait suffi à les faire s'extasier. Une modeste glace au chocolat les aurait transportés au paradis.

Ils ne pouvaient contacter ni avocat, ni ambassade, ni ami. Ils étaient isolés, à la merci d'un système judiciaire où seul le poids du pourboire faisait pencher la balance.

Ils n'avaient pas un sou et la *Pitoune* avait sûrement été pillée. On ne voulait pas les laisser téléphoner au Canada. En tout cas, pas encore. L'avenir n'était pas reluisant.

Au début de la cinquième journée d'internement, il y eut enfin un peu d'action. Un policier vint chercher Samek et Boulet pour les conduire au bureau du chef de police.

Le bureau n'affichait aucune fantaisie, aucune frivolité. Toutefois, loyauté oblige, on avait accroché aux murs les photographies des présidents Gassman et Bush souriant avec condescendance. La République exhibait sans pudeur son envie démesurée à l'endroit de l'Amérique.

Le chef de police ressemblait à un hippopotame. La peau de son visage était ravagée comme la surface lunaire et colorée comme une pizza. Il leva des yeux vides vers les prisonniers et, d'un hochement de sa tête grotesque, il indiqua deux chaises métalliques.

Samek et Boulet se conformèrent au protocole policier. Ils s'assirent calmement. C'était l'occasion ou jamais de plaider leur innocence.

Avec tout le détachement digne de sa position, le chef ouvrit leurs passeports et en tourna les pages.

— Samek Garnotte, Canadienne, dit-il d'un ton blasé. Archéologue. Il partit à rire. Belle couverture, ajouta-t-il.

— Couverture ? fit Samek, interloquée.

— Silence ! ordonna le chef. Éphraise Laframboise. Visa pour Moscou hein ? Un communiste.

Boulet n'en revenait pas lui non plus.

— Communiste ? Mais... Je suis allé à Moscou pour jouer au hockey, pas à James Bond.

Le chef hocha la tête, referma les passeports et les glissa dans un tiroir. Puis, il ouvrit le document d'enregistrement du bateau.

— La *Pitoune* est bien à vous, n'est-ce-pas ? Bateau canadien de dix mètres, moteur auxiliaire. Vous admettez en être le propriétaire ?

Boulet haussa les épaules.

— Mais, fit-il, à qui voulez-vous qu'il appartienne ? On ne l'a pas volé. L'acte de vente est dûment signé.

— Très bien, fit le chef. Il se pencha et, haletant, déposa sur son bureau la boîte pleine de bâtons de dynamite. Il en retira un et le montra à Boulet.

— Terroriste ? suggéra le chef.

Boulet avait horreur d'être jugé. Particulièrement par des imbéciles. Il ne put se contenir.

— La dynamite, grogna-t-il, c'est pour te faire éclater, vieux ouaouaron.

Samek pouffa de rire.

Le chef de police feignit de ne pas avoir entendu. Il ne se laisserait pas démonter par des insultes. Il en avait vu d'autres. Il déposa la dynamite par terre, ouvrit un tiroir et en sortit le sac de poudre que ses hommes prétendaient avoir trouvé dans le voilier. Il ouvrit le sac, mouilla son index et l'enfonça dans la poudre blanche. Il s'en frotta les gencives et passa sa langue sous ses lèvres plusieurs fois. Puis, il sourit et dévisagea Boulet.

— Excellente, fit-il en connaisseur. Trente grammes, je dirais.

— On n'a rien à voir avec ça, gros lard, dit Boulet.

— Tss, tss, le trafic de drogue, dit le chef, c'est *mucho peligroso*. Ce n'est pas l'Amérique ici. On aime garder notre république propre.

Le chef se leva et se mit à arpenter le bureau tout en se triturant les narines.

— Voyons, voyons, dit-il. Possession illégale de dynamite, tentative de coup d'État, complot terroriste, possession de drogue dans le but d'en faire le trafic, omission de faits, fausses déclarations. Et outrage aux autorités, pourquoi pas? Il faudra vous trouver un bon avocat. Nous n'avons pas de traité d'extradition avec le Canada. Vous en aurez pour vingt ans minimum. Et il paraît que vous vouliez fouiller la baie? Pour récupérer votre drogue, j'imagine.

Samek n'en croyait pas ses oreilles.

— Imbécile! dit-elle. Je vais vous dire ce qu'on faisait ici. Comme la baie de Samana n'est pas considérée comme zone historique, nous avons décidé d'en extraire une stèle de grande valeur archéologique. Les dernières volontés de Colomb y sont inscrites. Nous allions remettre cette dalle à la *Sociedad de arqueología de Dominica*. Nous ne sommes pas plus trafiquants de drogue que voleurs de trésors. Je suis une archéologue de réputation internationale, professeure à l'Université McGill de Montréal.

Le policier dévisagea Samek.

— Avez-vous une attestation officielle de mandat de recherche délivrée par le Parlement de la République? Non? Ce qui signifie que vous aviez l'intention de saccager le patrimoine de notre magnifique nation. Je serai magnanime. Je n'ajouterai pas cette félonie à votre dossier.

— Quelle générosité dégueulasse, répliqua

Samek. La drogue a été cachée à bord par ceux qui nous croyaient à la recherche d'un trésor. C'était pour nous écarter de leur chemin. Ce n'est pas si difficile à comprendre.

— Assez de bavardage, conclut le chef en se levant. J'ai remis mon rapport à la cour fédérale. Vous serez conduits à Saint-Domingue où vous subirez votre procès. Si vous êtes chanceux, ils vous jetteront en prison. Sinon, *mucha sangre*.

Boulet craqua. Il se leva d'un bond, agrippa le chef par le collet et souleva son corps gras qui se mit à gigoter comme un spasme de gélatine.

— Ne bougez plus ! cria une voix.

Boulet se retourna. Un garde tenait Samek par les cheveux et pressait le canon de sa M 16 contre son oreille.

Boulet relâcha sa poigne et le chef s'écrasa par terre comme une fiente de goéland.

— Vous allez payer pour ça ! vociféra-t-il en massant son cou meurtri. Personne ne va s'inquiéter du sort de minables vendeurs de *dope*. Vous allez pourrir en prison. Je vais m'en assurer personnellement. Emmenez-les !

Boulet et Samek sortirent sous la pointe des fusils automatiques et réintégrèrent leur cellule.

Il ne leur restait plus qu'à attendre, impuissants, leur transfert à la prison de la capitale.

* * *

Chapitre 7

Boulet et Samek languissaient en prison depuis une semaine. La tournure des événements les avait rendus irritables l'un envers l'autre. Il l'accusait de s'être embarquée dans cette aventure sans préparation et elle l'accusait de trop laisser échapper de vents.

Un soir, Samek fut emmenée dans une pièce sans fenêtre. Du plafond pendait une ampoule sans abat-jour. Les murs montraient des taches brunes sinistres. C'était la chambre des interrogatoires.

Un homme vêtu d'un complet aussi blanc que ses cheveux sortit de l'ombre et lui tendit la main.

— Mes hommages, chère collègue, dit-il. Je vous en prie, asseyez-vous.

Samek s'assit, méfiante.

— Permettez-moi de me présenter, dit-il. Je suis Riccardo de Monte Christi, professeur titulaire de la chaire d'archéologie de l'université de Saint-Domingue.

Samek sourit.

— Spécialiste des migrations précolombiennes. Je connais votre réputation, dit-elle. Je suis honorée de votre visite. Mais comment avez-vous appris que j'étais en prison ?

— Bonne question, fit de Monte Christi. C'est le professeur Hartsnkrafts qui m'amène ici.

— Hartsnkrafts ! s'exclama Samek.

— Il m'a téléphoné pour me prévenir de votre visite. Il a ajouté qu'il pourrait, heu… comment dire, y avoir des difficultés. Il m'a demandé de vous protéger. Mais je suis arrivé trop tard, semble-t-il. Expliquez-moi cette histoire de drogue. N'ayez pas peur, je vous connais aussi de réputation. J'ai eu le bonheur de lire votre brillante monographie sur le peuplement des Bahamas.

Samek lui raconta en détail tout ce qui s'était passé depuis Saint-Thomas jusqu'à la stèle et la drogue. Le professeur écouta avec commisération.

— C'est clair. Vous avez été victimes d'une machination, dit-il. Vous auriez dû vous conformer aux procédures officielles. Elles sont fastidieuses, mais elles vous auraient évité ces inconvénients.

— Pouvez-vous nous aider à sortir d'ici ? implora Samek.

Il hocha la tête.

— J'essaierai mais ce sera long. Il faudra engager un avocat, alerter l'ambassade. Ne vous en faites pas, j'intercéderai personnellement en votre faveur.

— Si ma découverte, supposa Samek, faisait avancer l'archéologie dominicaine, serait-ce suffisant pour nous libérer ? Qu'en pensez-vous ?

— Je ne sais pas, fit le professeur en baissant la tête. Vous savez, l'engrenage de la justice est complexe, il est difficile de s'en extirper. Mais ce n'est pas impossible. Parlez-moi plutôt de votre découverte.

L'esprit de Samek passa sur une autre longueur d'onde.

— Bien, fit-elle, ce qui m'agace vraiment, c'est que je ne puis justifier la présence de ce monument commémoratif dans la baie de Samana. Nous savons qu'il a été érigé à Saint-Domingue vers 1550. Pourquoi a-t-il été perdu ici en 1800 ?

De Monte Christi se mit à caresser sa barbiche et reprit la parole.

— Mmm... 1800, dites-vous ? Je ne vois qu'un seul rapport possible entre Colomb et cette date.

— Vous voyez un rapport ? fit Samek, suspendue aux lèvres du professeur.

— À mon avis, il ne s'agit pas de 1800, mais de 1795. L'hypothèse qui me vient à l'esprit, c'est qu'on aurait laissé tomber la stèle en fuyant Hispaniola.

— En fuyant Hispaniola ? Qui ça ? Samek se redressa sur sa chaise.

— En juillet 1795, expliqua le professeur, à la suite du second traité de Bâle, l'île d'Hispaniola passait sous la domination française. Les Espagnols durent s'enfuir. Or, afin d'éviter que les trésors du patrimoine espagnol ne tombent aux mains des envahisseurs, ils les auraient emportés avec eux.

— Mais, rétorqua Samek, les trésors étaient à Saint-Domingue, pas à Samana. Les Espagnols ont pris la mer à Saint-Domingue, pas à Samana.

— Pas du tout, dit-il. Souvenez-vous qu'en 1795, les Français, les Anglais et les Américains étaient ennemis des Espagnols. Leurs flottes contrôlaient les côtes d'Hispaniola et un blocus français condamnait le port de Saint-Domingue. L'invasion française a dû se propager comme un feu de prairie. La seule fuite possible des Espagnols était vers le nord. Ils auraient emporté leurs symboles de fierté nationale en cachette, à travers les trois cents kilomètres de Saint-Domingue à Samana, dernier bastion de leur résistance. Là, un navire devait les attendre. Puis, de Samana, poussés par les vents d'est, ils auraient contourné les flottes du blocus en naviguant loin des côtes.

Samek se leva, surexcitée par ce flot d'informations.

— Et la stèle ?

— Ils l'auraient perdue lors de leur fuite

hâtive vers le navire. Imaginez la scène, dit le professeur. Des Espagnols, poursuivis par les Français, arrivent à Samana avec des objets précieux. Un navire les attend dans la baie, là où vous avez plongé. Une chaloupe est accostée au quai. On transborde la précieuse cargaison. La chaloupe largue les amarres. Les Français arrivent. Fusillade. Coups de canon. La chaloupe coule dans la baie avec la stèle. Le navire déguerpit.

— Mais cela signifie qu'il y aurait… qu'il y aurait un trésor inestimable dans la baie, dit Samek.

— Je ne crois pas, rétorqua le professeur. Ces derniers jours, des hommes l'ont ratissée de long en large. Ils n'ont rien découvert.

— Des hommes?

— Trois hommes, répondit le professeur. Des chercheurs de trésors avec qui j'ai discuté. Ils m'ont posé des tas de questions. Ils m'ont montré la stèle. J'imagine qu'ils vous l'ont volée.

— Ils n'ont rien trouvé? insista Samek.

— Des reliques assez récentes, sans valeur. Une arme du dix-neuvième siècle, ainsi que des fragments d'épave, dont une planche marquée E R T A D, répondit le professeur.

— Mais c'est ça! s'exclama Samek. C'est la chaloupe qui a coulé avec la stèle. La chaloupe du *Ertad*.

— Du *Libertad*, précisa le professeur. Simple déduction linguistique. Dans la langue espagnole, *ertad* ne peut provenir que de *libertad*.

— D'accord, fit Samek. Donc, c'est le *Libertad* qui aurait emporté le trésor espagnol. À votre avis, ce trésor consistait en quoi? De l'or? Des monuments?

Le professeur sourit et hocha la tête.

— Non, pas d'or. Le trésor le plus cher aux Espagnols de Saint-Domingue n'était pas en or. C'était la dépouille de Christophe Colomb, l'explorateur génois.

— Quoi! s'exclama Samek.

— Je vois, fit de Monte Christi, que vous n'êtes pas au courant. Laissez-moi vous expliquer. Sachez tout d'abord que Colomb a voyagé autant après sa mort que de son vivant.

Samek se délectait des paroles du spécialiste.

— Colomb, poursuivit le savant, est mort en disgrâce en 1506.

— En disgrâce? interrompit Samek. Après avoir découvert l'Amérique au nom de la couronne d'Espagne?

— À la fin de sa vie, le vieux Colomb était devenu un triste mythomane. Il avait sombré dans la folie des grandeurs, expliqua de Monte Christi. À sa mort, en 1506, il fut enterré dans la crypte d'un monastère franciscain à Valladolid en Espagne.

Le professeur s'appuya contre le mur et poursuivit.

— Vers 1510, à la suite d'une décision purement administrative, sa dépouille aurait été transférée dans un monastère de Las Cuevas, près de Séville. Puis, vers 1537, Marie de

Tolède, la belle-fille de Colomb, et le fils de celle-ci, Don Luis, ont demandé la permission à Charles V de transférer de nouveau la dépouille de l'Amiral dans la cathédrale de Saint-Domingue, ici même, sur l'île d'Hispaniola.

— Il a donc retraversé l'Atlantique, ajouta Samek.

— C'est que, précisa de Monte Christi, Diego était devenu gouverneur d'Hispaniola, par héritage de son père Christophe qui lui avait légué ces terres nouvelles. Avec le temps, les *Indes* étaient devenues plus chères à Colomb et à sa descendance que l'Espagne où ils avaient glissé dans l'anonymat. Son corps était devenu un symbole, comme Lénine à Moscou ou Mao Tsê-tung à Beijing.

— Un symbole national, fit Samek.

— Exactement, dit le professeur. Le corps de Colomb a donc été inhumé une troisième fois, dans une crypte sous l'autel de la cathédrale de Saint-Domingue.

— Il y serait resté jusqu'à l'invasion française de 1795, dit Samek.

— Très juste. Selon la version officielle, en juillet 1795, les Espagnols auraient emporté la célèbre dépouille à la Havane, où elle aurait été conservée jusqu'en 1899, l'année où Cuba a réclamé son indépendance. À cette occasion, on l'aurait transférée une quatrième fois à Séville, où elle reposerait actuellement.

— Mais pourquoi parlez-vous de version officielle ? demanda Samek. A-t-on des doutes sur l'authenticité du corps de Séville?

— Des doutes? dit le professeur en souriant. Écoutez ceci. Alors que, vers 1850, le corps de Colomb était hypothétiquement à la Havane, des ouvriers qui rénovaient la cathédrale de Saint-Domingue, tombèrent par hasard sur une tombe de plomb marquée de façon à faire croire qu'il s'agissait de celle de Colomb. On a donc conclu que le corps n'avait jamais quitté Hispaniola. La querelle de spécialistes qui éclata alors dure encore. Les Dominicains et les Espagnols n'ont jamais cessé de s'entre-dévorer à ce sujet, comme des vautours qui s'arrachent des lambeaux de choix.

— Mais, interrompit Samek, n'y a-t-il pas moyen d'analyser les restes de Colomb à Séville?

— Le monument de marbre qu'on a érigé à Séville est une forteresse. Et puis, croyez-vous que les Espagnols risqueraient d'exposer une supercherie, de découvrir que leur corps n'est pas le bon? Jamais ils n'accepteraient de soumettre leur cadavre à une autopsie.

— A-t-on ouvert la tombe de la cathédrale de Saint-Domingue? demanda Samek.

— Oui, répondit le professeur. En 1960, les Dominicains ont soumis leur corps à l'expertise d'un chirurgien orthopédiste américain, Charles Goff. Souvenez-vous que Colomb aurait été enterré dans la même crypte que son fils Diego, son frère cadet, Barthélemy, ainsi que son petit-fils Don Luis et le frère de ce dernier,

Christophe deuxième. Après avoir pris des milliers de clichés des ossements, l'Américain a conclu que le squelette de la tombe pouvait appartenir à deux hommes, probablement Colomb et son fils Diego. Mais à mon avis, le squelette serait celui de Diego ou de Don Luis ou de Barthélemy. Pas celui de Colomb. Je crois que Colomb n'est ni à Saint-Domingue, ni à Séville.

— Qu'est-ce qui vous fait croire cela?

— Voyez-vous, dit-il, la tradition veut qu'on enterre la dépouille d'un héros national avec des décorations et des objets précieux lui ayant appartenu. Comme l'ont fait les Égyptiens et les Incas avec leurs momies. Colomb était un marin génois. Or, la coutume génoise consistait justement à enterrer les grands navigateurs avec leur livre de bord, leur octant ou leur épée. On n'a rien retrouvé dans la tombe de Saint-Domingue qui puisse positivement identifier Colomb. Ni livre de bord, ni couronne, ni épée. Rien. Même pas une bague.

— Mais, fit Samek, si le *Libertad* s'est rendu à la Havane, peut-être le corps s'y trouve-t-il encore?

— Non, le *Libertad* n'aurait jamais pu s'approcher de Cuba. En 1795, l'île était isolée par le blocus étanche des flottes ennemies.

— Donc, conclut Samek, le corps de Colomb se trouverait quelque part entre Saint-Domingue et Cuba. C'est ça?

— C'est une hypothèse que votre découverte semble confirmer. On aurait bel et bien tenté de fuir de Samana avec des objets du patrimoine culturel national.

— Mais, rétorqua Samek, si le corps de Colomb n'est ni à Saint-Domingue, ni à Séville, quel est le corps qu'on a ramené à Séville en 1899?

— Le corps de la Havane, qu'on a voulu faire passer pour celui de Colomb et qui repose actuellement à Séville, serait un corps anonyme, une diversion pure et simple.

— Une supercherie!

— Exact. Il ne fallait pas que l'Espagne perde la face, répondit-il. Imaginez la réaction du roi d'Espagne si le corps de Colomb avait été abandonné aux Français ou perdu en mer. D'ailleurs, pour ces politiciens, un corps ou un autre, c'était du pareil au même.

— Mais alors, si le *Libertad* n'a pas atteint Cuba, où est-il allé? Peut-être a-t-il coulé le long des côtes du nord de l'île? A-t-on déjà vérifié les registres portuaires de la Havane?

— Les registres portuaires? s'enquit de Monte Christi.

— Mais oui, fit-elle. Les registres devraient confirmer l'arrivée du *Libertad* à La Havane et décrire la nature de sa cargaison.

La porte s'ouvrit. Un policier déclara l'entrevue terminée.

— Je ferai tout ce qui est en mon pouvoir pour vous sortir de là, dit le professeur en serrant la main de Samek.

— Merci, professeur.

— *Hasta luego*.

Le policier escorta Samek jusqu'à la cellule
où l'attendait un Boulet taciturne.

— Et alors? demanda Boulet. Quand est-ce
qu'on sort du trou?

— Je ne sais pas, fit-elle. Mais au moins, nous
ne sommes plus seuls.

Samek relata les détails de sa conversation
avec de Monte Christi.

— Donc, dit Boulet, l'équipage du chalutier
nous a observés et dénoncés, puis a pris notre
place sur le site des fouilles. Tu vois, je te l'avais
bien dit de te méfier de ce Nappie. En plus, ils
n'ont rien trouvé, c'est ça?

— Heu… fit Samek, distraite. Non, pas vraiment. Mais nous avons la preuve que le corps de
Colomb est passé par ici en 1795. Reste à savoir
où il est allé se cacher.

— Le corps à Colomb, fit Boulet, je m'en
fous pas mal. J'ai surtout hâte de manger autre
chose que du crapet dominicain.

— Je me demande comment on pourrait
prouver notre innocence, dit Samek.

— Bonne chance! En tout cas, si ces gars-là
me tombent sous la main, je vais leur régler leur
compte.

— Éphraise, supplia-t-elle, il faut sortir d'ici.
Elle le fixa droit dans les yeux. Il faut sortir d'ici.
Me comprends-tu bien clairement? Il faut que
toi et moi ne soyons plus entre ces quatre murs.

On n'a pas le temps d'attendre. On n'a plus le temps.

— Quelle mouche te pique? dit-il. Je ne peux quand même pas faire disparaître les murs. Pourquoi es-tu si pressée tout d'un coup? Et ta patience amérindienne?

— Nous sommes sur une nouvelle piste, dit Samek.

Boulet prit sa tête entre ses mains.

— Oh non! Une nouvelle piste... C'est pas encore fini ces histoires de cadavres qui voyagent? Tu es débile, Garnotte, la seule chose qui compte, c'est sortir de ce trou et retourner chez nous. Tu m'entends bien? Colomb, c'est fini. F-I-N-I.

— Non, ce n'est pas fini, affirma Samek.

＊ ＊ ＊

Chapitre 8

Dix jours s'étaient écoulés depuis la visite du professeur de Monte Christi. Samek devenait de plus en plus impatiente face à la résignation de Boulet. Les révélations du professeur avaient instantanément ravivé sa curiosité. Elle en perdait le sommeil et ne parlait plus d'amandes au chocolat.

Quant à Boulet, il attendait l'instant propice pour agir. Sous le masque de l'indifférence se cachait une puissante volonté de s'en sortir.

Il tenta à maintes reprises d'animer la conversation. Rien n'y fit. Samek était ailleurs. Elle pensait.

Ce matin-là, elle s'approcha des barreaux et, guidée par une force invisible, elle s'accroupit. Elle posa la paume des mains sur ses genoux et se recueillit. Sa respiration s'harmonisa avec les battements de son cœur, de plus en plus lents, de plus en plus faibles. Elle pencha la tête et émit des sons qui, peu à peu, s'organisèrent en une mélopée.

— Agnâ, agnââ, agnâââ, agnâ-agnâ...

Le sens de ce rituel échappait à Boulet. Il n'essayait même pas de comprendre Samek. Il la savait à la porte d'un autre univers, d'un autre temps dont elle seule possédait la clé. Elle était plongée dans un monde de connaissance étranger à celui de l'Occident.

— Agnâ, agnââ, agnâââ, agnâ-agnâ...

Les incantations faiblirent peu à peu et se transformèrent en un soupir. Samek ouvrit les yeux et se tourna vers Boulet. Elle était sereine, apaisée. Elle souriait pour la première fois depuis des jours.

— On va nous sortir d'ici, dit-elle, énigmatique.

— Qui ça, on ? demanda Boulet.

Au même moment, des pas résonnèrent. Nappie apparut dans la pénombre de la cellule.

Les marques d'une râclée sauvage s'affichaient sur son visage. Son œil droit était boursouflé, ses lèvres lacérées, il avait du sang caillé sur ses oreilles et un bras en écharpe.

— C'est lui ton sauveur ? ironisa Boulet.

— Tshishemanitu ne se trompe jamais, fit Samek.

Nappie s'approcha et dit sur le ton de la confidence :

— Je suis désolé de ce qui vous arrive. Je

sais, moi, que vous n'avez rien fait. Je l'ai dit à la police, mais ils ne veulent pas me croire.

— Qu'est-ce qui t'est arrivé? l'interrompit Samek. Tu as fait l'amour avec un bulldozer?

— J'ai essayé d'empêcher des voleurs de détruire votre bateau. Je me suis battu pour vous, répondit Nappie en toute fausse modestie.

— Ouais, fit Boulet. Ils t'ont administré une râclée quand ils se sont aperçus que tu les avais roulés. Je ne serais pas surpris d'apprendre que c'est toi qui les as conduits sur nos traces. Tu croyais qu'on partait à la chasse au trésor? C'est ça?

— Mais non! protesta Nappie. Vous ne comprenez pas. C'est pour les empêcher de vous faire du mal que je me suis embarqué avec eux. Pour vous aider, pour vous protéger. Vous voyez ce qu'ils m'ont fait? Ils m'ont amoché le portrait à votre place, je vous ai servi de bouclier. Mais soyez sans crainte, je vous ai débarrassé d'eux. Ils sont repartis aux îles Vierges.

Nappie adopta un air de chien battu, mais Boulet ne démordait pas:

— Et la drogue, je suppose que tu n'as rien à y voir?

— Moi? Jamais! Nappie secoua la tête vigoureusement. Jamais je ne ferais ça. Je ne prends pas de drogue, moi. Je n'ai jamais touché à ça. Je le jure!

— Fais pas l'innocent, reprit Boulet.

— Écoutez, le temps presse. Il faut que je vous aide à sortir d'ici.

— On n'a pas besoin de ta crasse. Quelqu'un d'autre s'occupe de nous, lança Boulet.

— Monte Cristo, n'est-ce pas ? suggéra Nappie.

— De Monte Christi, fit Samek. Tu le connais ?

— Ben... Nappie regarda ailleurs. Ben, c'est qu'il est venu me parler sur le quai, à propos de l'épave et des trucs qu'on a... qu'ils ont trouvés dans l'eau.

— Fais de l'air, dit Boulet, on n'a pas besoin de tes services.

— Déballe quand même ton sac, dit Samek.

— Ben, c'est que, fit Nappie, même avec l'aide de Monte Cristo, vous en aurez pour longtemps à moisir en prison.

— Et alors ? fit Samek.

— Ben, susurra-t-il, j'ai pensé que je pourrais vous aider à...

Il s'approcha de Samek et chuchota à son oreille :

— ...à vous évader.

— Ne l'écoute pas, dit Boulet.

— Je l'écoute quand même, fit Samek.

— On doit vous transférer bientôt à la prison de *Saint-Domenigo*, dit Nappie.

— Domingue comme dans *dingue*, corrigea Samek. C'est prévu pour quand ce transfert ?

— Demain, après le coucher du soleil. J'ai pensé qu'avec un peu d'argent, on pourrait soudoyer le chauffeur qui doit vous conduire. Il faudrait juste un petit peu d'argent.

— Et pourquoi veux-tu faire ça? s'enquit Samek.

— Heu... Je vais être honnête avec vous. C'est vrai que j'aime gagner quelques sous. Mais le plus important, c'est que je vous aime, dit-il. Je vous aime vraiment, heu... beaucoup.

— On n'a pas un sou, espèce de voleur, rétorqua Boulet.

— Justement, fit Nappie. Il fouilla dans la poche de son pantalon rapiécé et en sortit une carte American Express en or.

— Il a ta carte, dit Samek.

— Je l'ai trouvée dans votre bateau, dit Nappie. Les autres ont volé votre argent mais moi, j'ai pris votre carte pour vous aider à sortir d'ici.

— Les gardiens de prison, dit-elle, n'acceptent pas les cartes de crédit.

— C'est que, reprit Nappie, il y a un guichet automatique à l'hôtel. Si j'avais votre numéro...

— Fous le camp, lança Boulet. Tu veux vraiment nous sucer le sang jusqu'à la dernière goutte?

— Minute, Éphraise, fit-elle. Qu'est-ce qu'on a à perdre sinon de l'argent. Elle se tourna vers Nappie. Et que ferais-tu de cet argent?

— Ben, je vous l'ai dit. Je payerais le chauffeur pour qu'il facilite votre fuite. Puis je rachèterais votre voilier et je viendrais vous chercher avec. J'ai pensé à tout.

Samek se tourna vers Boulet.

— Ça pourrait marcher. On n'a pas le choix. Et Nappie a raison, même avec l'aide de Monte Christi, les poules vont avoir des dents avant qu'on nous sorte d'ici. C'est d'accord, dit-elle à Nappie.

— Vous ne le regretterez pas, fit Nappie en souriant. Bon. Heu… Le numéro ?

— Le numéro, lança Samek à Boulet.

— Ça paraît que ce n'est pas ton argent, grogna Boulet. C'est le cinq-sept-quatre-quatre. Il ne peut retirer que six cents dollars à la fois.

Nappie écarquilla les yeux et répéta plusieurs fois le numéro magique, puis il s'en alla sans cérémonie.

— On s'est fait avoir jusqu'à l'os, dit Boulet.

— J'aime mieux ça, fit Samek, que de mourir d'inanition dans ce trou infect. Maintenant, nous avons un espoir.

Nappie déboucha dans la pièce principale du poste de police au moment où les deux policiers de garde s'affairaient à maîtriser un ivrogne qui, apparamment, avait tenté de poignarder son cousin. Comme on ne faisait pas attention à lui, Nappie en profita pour chercher quelque objet à voler. Il ne trouva pas d'argent mais, sur le bureau, il aperçut une enveloppe décachetée adressée au professeur Samek Garnotte. Avec la précision d'un pickpocket colombien, il subtilisa la lettre et sortit.

Il se rendit aussitôt vers un parc peu fréquenté où, à l'ombre d'un palmier, il se mit à lire la lettre.

Cher professeur Garnotte,

J'ai contacté l'ambassade canadienne à Saint-Domingue. Malheureusement, votre cas est hors juridiction. Ils ne peuvent rien pour vous. Mais j'essaierai de nouveau, soyez-en certaine. Croyez bien que je n'ai jamais douté de votre innocence.

Si cela peut vous réconforter dans un sombre moment, j'ai quelques informations sur un sujet qui vous passionne. Elles allégeront, je l'espère, le poids de votre isolement.

Dès mon retour à la capitale, j'ai vérifié les archives de l'invasion française d'Hispaniola. Les derniers ressortissants espagnols ont bien quitté l'île dans la nuit du 11 au 12 juillet 1795 à bord du **Libertad** *avec les trésors nationaux de la couronne espagnole.*

Ceci établi, j'ai contacté le professeur Hugarru de l'Université de Cuba. Il a consulté pour moi les registres du port de la Havane. Le **Libertad** *de Saint-Domingue, brigantin de 25 tonneaux, aurait accosté à Cuba, le 12 juillet 1795, avec une cargaison identifiée* **Biens nationaux de la couronne d'Espagne.**

Vous rendez-vous compte que le **Libertad** *serait parti de Samana le 12 et serait arrivé à Cuba le même jour? Mille milles marins en moins d'un jour? Incongru. Ou bien les registres mentent, ou*

*bien le **Libertad** était mû à l'énergie nucléaire.*
Pourquoi alors aurait-on inscrit une fausse date?
Je crois, chère collègue, qu'on a voulu sauver la
face, éviter un scandale.

*À mon avis, le **Libertad** a quitté Samana mais*
n'est jamais arrivé à la Havane. Où est-il allé?
Porto Rico et la Floride étant hors de question, il
n'aurait pu voguer que vers le sud des Bahamas,
alors aux mains des loyalistes. Est-ce là que
*l'équipage du **Libertad** aurait trouvé refuge?*

Le mystère reste entier. J'ose espérer que dès
votre libération, vous pourrez vous pencher sur
cette énigme. Peut-être ce trésor restera-t-il
condamné à l'oubli.

Courage et patience.
Votre collègue et ami,
Riccardo de Monte Christi.

Le visage de Nappie s'illumina d'un sourire
de carnaval. Il y avait le mot trésor dans la lettre.
Le fameux trésor existait donc pour de vrai. Il
devait, lui, Nappie, mettre la main sur ce trésor.
Les Canadiens allaient le lui permettre. Ils l'y
conduiraient. Au pis aller, s'il ne trouvait pas de
trésor, il leur soutirerait le plus d'argent possible. Ces deux-là étaient pour lui une mine d'or
qu'il devait exploiter au maximum. Mais, tout
d'abord, il fallait les faire sortir de prison.

Tout ragaillardi, il se rendit à l'hôtel d'un

pas léger. La réceptionniste lui lança un regard méprisant; elle dut le prendre pour quelque vagabond haïtien. Dans les pays du Sud, les hôtels sont réservés aux Blancs. Les Noirs n'y sont tolérés que comme serveurs ou domestiques.

Après avoir lu attentivement les instructions, il inséra la carte dans la fente du guichet automatique et, d'un doigt hésitant, il composa le cinq-sept-quatre-quatre. La machine fit *bip* et dégurgita une liasse de billets. Méfiant et fébrile, il empocha la précieuse récolte, reprit la carte et donna à tout hasard quelques coups de poing dans la machine. Juste au cas où elle souffrirait de bégaiement.

Il revint aussitôt au poste de police qui tenait également lieu de mairie et de bureau des douanes.

Il engagea la conversation avec l'officier responsable. Celui-ci éclata de rire en apprenant que Nappie voulait acheter le yacht canadien pour deux cents dollars. C'était une belle offre pour une épave qui ne valait plus rien. L'officier s'empressa d'établir les documents du bateau au nom de Nappie — Napoleon Washington. Nappie vérifia l'authenticité du document intitulé *Canadian Yacht Registration. Pitoune à Toutoune*. Satisfait, il l'empocha, remercia le policier et sortit.

Il se rendit directement à la plage au large de laquelle gisait la pauvre *Pitoune*, échouée à cinquante mètres de la rive. Il n'y avait pas de vent ce jour-là et Nappie put marcher dans l'eau jusqu'à l'épave. Il se hissa à bord.

La *Pitoune* faisait pitié à voir. Ses voiles pendaient lamentablement. Le pont n'était qu'un amas de vieux cordages et de ferraille oxydée. La cabine, remplie d'eau et d'huile sale, avait été saccagée et vidée de tout ce qui pouvait être revendu.

Il commença par pomper l'eau de cale. Puis, il examina le moteur. Il fallait absolument que le diesel puisse être ranimé. L'évasion des Canadiens et la course au trésor en dépendaient.

Il s'assura qu'il y avait du carburant dans le réservoir. Puis, comme il l'avait appris auprès des contrebandiers, il saigna la conduite de fuel pour en dégager les bulles d'air.

Ensuite, il vérifia les batteries. Elles étaient à plat. Il dut s'atteler au moteur et, avec beaucoup d'ardeur, répéter les tours de manivelle.

À la douzième tentative, le moteur cracha, puis toussa et se mit à ronronner. Un miracle. Le moulin fonctionnait encore. La *Pitoune* n'était pas morte. Il laissa le moteur tourner pour le décrasser et retourna sur le pont.

Il lui fallait un moyen de remorquer le voilier au large, de le sortir de son trou de vase. Il aperçut un pêcheur qui, à quelques encablures, rangeait ses filets. Il l'appela et lui fit signe de s'approcher. Après lui avoir expliqué ce qu'il voulait, il lui tendit un billet de vingt dollars.

Le pêcheur noua une amarre à la proue du

Chapitre 10

À peine bosselée par quelques monticules, l'île s'allongeait du nord au sud. Samek et Boulet ne purent y distinguer de maisons mais le bruit strident de hors-bord révélait la présence de vie humaine dans les parages.

Plutôt que de nager jusqu'à la rive, Samek et Boulet décidèrent d'attendre que l'on vînt les secourir. Les cafards eurent la même idée et s'agglutinèrent à leurs côtés.

Bientôt, ils aperçurent au loin une tache claire qui grossissait à vue d'œil : un yacht filait à vive allure vers eux. Le bateau effilé, du même type que ceux utilisés pour la contrebande, portait le nom de *Scarrab*. Il accosta contre la coque du voilier et, aussitôt, son pilote, un Bahaméen noir, fier et musclé, se présenta.

— Je m'appelle Miah, dit-il. Lui, c'est Kino. Des problèmes ?

— Non, pas du tout, ironisa Boulet. On fait du bronzage intensif.

— Venez donc vous joindre à nous, ajouta Samek en souriant.

Miah sourit à son tour, impressionné par le sang-froid et le sens de l'humour de ce couple peu ordinaire, s'attendant plutôt à trouver des plaisanciers, paniqués et pleurant de désespoir.

Il leur fit signe de monter à bord du *Scarrab* et jeta un dernier regard sur l'épave du voilier avant d'abaisser la manette des gaz et de foncer vers l'île. Puis, à pleine vitesse, il pénétra dans un étroit chenal taillé entre les palétuviers.

Il fallait être fou pour filer à cinquante nœuds dans un pareil endroit. Miah était de toute évidence un maniaque de la vitesse et, de surcroît, fort adroit aux commandes de sa bombe flottante.

À la sortie du chenal, ils aboutirent dans une lagune au centre de laquelle reposait sur son flanc un chalutier à l'abandon. L'unique village de l'île, Duncan Town, surplombait la lagune du haut d'une côte.

Ils atteignirent le quai de ciment et accostèrent parmi d'autres yachts ultramodernes. Sur le mur de l'entrepôt de poissons qui prolongeait le quai, une tête de mort peinte en rouge avertissait les visiteurs importuns.

Ils gravirent la côte et traversèrent Duncan Town, le village fantôme.

Sur cent maisons, une vingtaine seulement étaient habitées. Les autres s'effritaient, dévorées par les termites et le vent sec. Seuls les chiens partageaient la rue avec les poules et les chèvres. Paradoxalement, des motos rutilantes — rien de moins que des Harley-Davidson — posaient devant les maisons.

Samek et Boulet sentirent le poids de regards méfiants sur leur passage. Ils ne rencontrèrent ni femmes, ni enfants, seulement des hommes jeunes et vigoureux, assis sur leur balcon à écouter du rap.

Ils arrivèrent à la maison de Miah. Trois hommes étendus dans leur hamac fumaient avec nonchalance un énorme joint. Miah offrit une bière aux naufragés. Une puissante radio crachait du reggae.

Boulet entama la conversation.

— Merci pour la bière, dit-il. Ça peut vous sembler curieux, mais nous n'avons aucune idée de l'endroit où nous sommes. Bahamas?

Miah sourit. « Vraiment, songea-t-il, ces blancs-becs n'ont aucun talent pour la navigation, malgré leur compas et tous leurs appareils électroniques ».

— Ragged Island, fit-il. Archipel des Jumentos. Cuba est à cinquante milles marins au sud. Nassau est à deux cents milles marins au nord. Vous venez d'où?

— République Dominicaine, répondit Boulet. On s'en allait en Floride.

Miah demanda:

— Qu'est-il arrivé à votre bateau? Il ne ventait pas si fort.

Boulet haussa les épaules.

— Il était fini ce bateau. Rongé de partout. Dès qu'il a touché le fond...

— Vous avez laissé des choses à bord? s'enquit Kino. De l'argent, des caméras, des outils, des instruments?

— Rien, fit Boulet. Puis il se ravisa et ajouta: nous avions un passager avec nous. Il a disparu la nuit dernière.

— On l'a retrouvé, dit Miah. Il allait se noyer quand mon cousin Wesley l'a récupéré avant l'aube. Qui est-ce?

— Nappie, répondit Boulet.

— Nappie? répéta Miah.

— Il nous a aidés à fuir de Samana, dit Boulet.

— Vous vous sauviez?

— De prison, répondit Boulet

— Ils nous ont arrêtés pour possession de drogue, expliqua Samek.

Tous se tournèrent vers Samek et Boulet, une sympathie aussi spontanée qu'évidente se dessina sur leurs traits. Miah eut un large sourire.

— Bienvenue chez nous, dit-il en offrant sa main aux visiteurs. Les ennemis de mes ennemis sont mes amis.

— Mais je suis archéologue, protesta Samek, pas contrebandier.

— Ça ne fait rien, dit Miah. Vous êtes chez vous ici. Vous faites partie de la famille. Je vous prends sous ma protection personnelle. Si vous avez besoin de quoi que ce soit, c'est à moi qu'il faut vous adresser.

— Ah bon! fit Samek, décontenancée. Mais je vous jure que nous n'avons rien à voir dans cette histoire. C'est justement Nappie qui nous a tendu un piège avec de la cocaïne. Une longue histoire. Il nous a fait enfermer en prison, puis il nous a aidés à en sortir.

— Que faisiez-vous à Samana? poursuivit Miah. Vacances?

— Nous étions à la recherche de vestiges de Colomb. On espérait trouver des traces de son passage en République Dominicaine.

— Tout ce qu'on veut, dit Boulet, c'est retourner le plus tôt possible en Floride.

— Le bateau postal, le *Emmet & Cephas*, sera ici dans quatre jours, répondit Miah. Vous pourrez vous embarquer pour Nassau. Vous êtes des Américains?

— Tu es fou? s'écria Samek. Nous, des yankees! Dieu merci, je suis une Amérindienne et mon ami est un Québécois, ancien joueur de hockey des Canadiens de Montréal.

— Hein? fit Miah. Vous voulez dire hockey sur glace? C'est pas vrai!

— J'étais ailier droit, précisa Boulet. Je m'appelle Laframboise. Boulet.

— Boulet! LE Boulet? Ça ne se peut pas! lança Miah.

Boulet regarda Samek et sourit, un peu surpris.

— Tu connais le hockey? s'enquit Boulet. Il n'y a pourtant pas beaucoup de glace par ici.

— J'ai passé deux mois à Boston, expliqua Miah, chez un maniaque de hockey. Il a bien fallu que je m'y intéresse. J'ai assisté à tous les matches du Garden. Je me souviens même de t'avoir vu marquer. Spectaculaire. Ah! ben ça...

Miah, rempli d'admiration, tendit de nouveau la main à Boulet. Il devait être le seul Bahaméen au monde à connaître le hockey.

— On peut visiter l'île? demanda Samek.

— L'île vous appartient. Mais vous ne pourrez aller loin. Elle ne fait que six kilomètres de long sur un kilomètre de large et je dois vous avertir qu'il y a des gens ici qui détestent les visiteurs. Il ne faut pas poser de questions. On pourrait vous prendre pour des agents de la D.E.A.

— La D.E.A.? s'informa Samek.

— Drug Enforcement Agency. La police antidrogue américaine. Elle nous surveille de près.

— Ah bon, fit Samek. Si je comprends bien, vous... heu... vous êtes de la profession?

Miah ne répondit pas. Il se tourna plutôt vers Kino.

— Tu seras leur guide.

Kino acquiesça.

Un frisson parcourut l'échine de Boulet. Le vide absolu régnait dans les yeux de Kino. «Ce Kino, songea-t-il, vous poignarderait sans sourciller, sans même ressentir un soupçon de plaisir ». Mais, le sachant sous les ordres de Miah, il se sentit rassuré.

Samek et Boulet prirent donc congé de Miah et, en compagnie de Kino, explorèrent les alentours.

Au bout de la seule rue du village, un disque parabolique était braqué vers le ciel. C'était l'antenne de télécommunications, le seul lien des habitants avec le monde extérieur.

De temps en temps, des grondements sourds ébranlaient l'atmosphère. Kino expliqua qu'il s'agissait de Migs cubains s'exerçant au tir de missiles.

Plus loin, au-delà des limites du village, ils s'arrêtèrent à un monticule en haut duquel se dressait un mât. D'après les ferrures qui le garnissaient, ce mât devait être celui d'un gréement carré, c'est-à-dire d'un ancien voilier. Sa base de ciment était ornée d'une plaque de bronze. L'ensemble constituait un monument funéraire car une épitaphe disait :

À *la mémoire de deux marins espagnols. 1795.*

Samek examina le mât minutieusement. Puis, elle se tourna vers Boulet, le visage illuminé.

— Tu sais ce que je pense ? dit-elle, radieuse.

— Non, mentit Boulet, feignant l'indifférence.

— Dis-moi, mon vieux, combien de navires espagnols ont pu faire naufrage dans cette région en 1795 ? Sais-tu à quoi je pense ?

— Je ne veux pas le savoir, fit Boulet.

— Un mât du *Libertad*, dit-elle, en caressant la plaque de bronze.

Boulet soupira, exaspéré.

— Tu n'abandonnes jamais. Le *Libertad* est au fond de la mer, près de Great Inagua. Tu l'as admis toi-même. Il n'est pas ici. Vas-tu finir par oublier cette histoire ?

— Écoute, Éphraise, le *Libertad* aurait très bien pu échouer ici. Dans une démarche scientifique, il ne faut jamais éliminer d'hypothèses parce qu'elles semblent farfelues.

— Tu dérailles, Sam. Un jour, tu vas voir le cadavre de Colomb flotter dans ta baignoire.

— Ce que je pense, expliqua Samek, c'est que les Espagnols du *Libertad* n'auraient pas mouillé à Great Inagua comme nous le croyions. On ne peut pas s'y cacher, le port de Matthew Town étant exposé à tous vents. Par contre, Ragged Island est en dehors de toute route de navigation. C'est ce qui en fait d'ailleurs un excellent repaire de flibustiers modernes.

— Ouais... Mais l'île était habitée en 1795 par les ennemis des Espagnols, non ?

— Les marins du *Libertad* ne pouvaient pas le savoir car l'île venait tout juste d'être occupée, expliqua Samek. À la fin du dix-huitième siècle, le loyaliste Archibald Duncan est venu des États-Unis pour y construire, à grand renfort d'esclaves, un marais salant qui a été, pendant des décennies, le plus florissant des Bahamas. Vers 1920, la demande de sel diminuant, le marais a été abandonné et des cinq cents habitants, il ne reste plus que la bande de Miah.

— Peut-être, fit Boulet. Mais, bon, enfin, bof! on ne le saura jamais.

Ils poursuivirent leur exploration et s'engagèrent dans un sentier qui menait au sud de l'île. Ils virent un DC3 écrasé sur le toit d'une maison.

Ils atteignirent la mer où une falaise blanche s'élevait, imposante devant l'Atlantique. Kino expliqua qu'il s'agissait du *Lovers Leap,* nom rappelant le suicide d'un couple de jeunes esclaves amoureux qui sautèrent à la mer après avoir découvert qu'ils étaient frère et sœur.

Sur le rivage, en deçà de la falaise, un petit cimetière étalait ses croix de bois asséché par l'air salin. Samek examina chaque inscription.

— La plus vieille tombe remonte à 1820. Est-ce le seul cimetière de l'île? demanda-t-elle à Kino.

— Il y a d'autres tombes là-bas, dit-il. Il indiqua un champ de ruines et de ronces au nord de la falaise.

Ils s'y rendirent.

Là, des sépultures défoncées gisaient dans les buissons, rongées par le temps. Samek se mit à fouiner à travers les tombes sous le regard impassible de Kino qui ne comprenait rien à l'excitation de la fille.

— Boulet! cria Samek. Boulet! Viens voir! Boulet! BOULET!

Il s'approcha d'elle en maugréant contre les ronces qui lacéraient ses mains.

Elle était penchée sur une tombe recouverte d'une dalle fendillée et dégageait la mousse qui cachait le monument de ciment.

— Regarde l'inscription, dit-elle.

Boulet s'approcha et lut à voix haute:

— *Anonymous. 1795.*

— 1795! Comme l'épitaphe des marins espagnols! s'écria-t-elle. Cela doit être la plus vieille tombe de l'île. C'est l'époque où Duncan est arrivé ici. Tu te rends compte? Serait-ce possible?

— Ceci peut être la tombe de n'importe qui, dit-il. Un parent de Duncan, un soldat de la garnison, je ne sais pas. Bien des gens sont morts en 1795.

— Mais on aurait inscrit leur nom, rétorqua Samek. Mon vieux Boulet, je pense que ceci est la tombe de Colomb.

— Tu délires, Sam.

— Imagine que le *Libertad* échoue ici avec un cercueil et que les loyalistes le trouvent. En bons chrétiens, ils n'allaient pas laisser ce corps sans sépulture. Regarde ce qu'ils ont fait des deux marins espagnols. Ils leur ont édifié un monument, même s'ils étaient ennemis de la nation. Je te le dis, il faut explorer cette tombe. Vite.

— Faut pas toucher aux morts, dit Kino en reprenant le chemin du sentier.

Ce que Kino omit de dire, c'est que certaines tombes servaient de banque aux habitants du village. Les tombes étaient donc sacrées.

— Mais, mais... protesta Samek, pantoise.

Boulet la força à reprendre la marche.

Pendant le retour au village, Samek se renfrogna dans un silence boudeur. Boulet lui, réfléchissait au moyen de la distraire définitivement de son obsession archéologique. Kino se lança dans un long monologue sur son ambition de devenir un jour le chef de bande.

Le soir venu, Samek et Boulet mangèrent en compagnie de Miah, de Kino et de leurs amis, Bandit, Groucho, Bill 101, Bébé Doc et l'Animal. On leur avait servi du mérou ainsi que des conques séchées, le tout arrosé de bière.

Après le repas, Samek et Boulet, épuisés par les événements des derniers jours, se retirèrent dans une chambre.

Tout au long de la nuit, les iguanes crièrent leur passion amoureuse.

Vers minuit, tandis que Boulet ronflait de concert avec les groupes électrogènes du village, Samek se leva doucement et sortit de la chambre à pas feutrés.

Elle traversa la maison où les hommes, assommés par l'alcool et le cannabis, dormaient comme des marmottes. Elle se retrouva dehors.

D'une démarche sûre, elle se dirigea droit au sud de l'île. Bien que l'obscurité fût presque complète, elle retrouva facilement le cimetière désaffecté.

Elle s'enfonça dans les buissons et dégagea les ronces enlacées sur la tombe de 1795.

Cette fois, pas de dynamite. Elle travailla avec soin et méthode.

La dalle qui recouvrait le tombeau semblait massive, mais le ciment qui la composait était assez friable pour qu'elle pût y creuser une ouverture.

Après une heure de travail soutenu, elle se glissa dans le trou et disparut dans le sépulcre.

L'air stagnant était froid. Une odeur de parchemin emplit ses narines. Elle alluma un briquet. Elle se sentait comme Igor, le fossoyeur du professeur Frankenstein. Une profanatrice de sépultures.

L'exiguïté des lieux l'obligea à s'allonger sur un squelette qui était peut-être celui de l'homme le plus illustre du millénaire.

Centimètre par centimètre, elle gratta le sable. Soudain, elle toucha à un objet dur. Elle remua le sable autour et, à la lueur du briquet, elle vit que c'était un long morceau d'os. Elle l'examina et conclut qu'il s'agissait d'une clavicule. Elle le déposa et continua à gratter le sable. Une surface ronde se fit sentir sous ses doigts, comme une pierre. Malgré l'obscurité complète, elle réussit à la dégager. Elle tâta l'objet qui ressemblait à un coquillage. Elle alluma de nouveau son briquet et vit qu'elle tenait un fragment de calotte crânienne.

La flamme du briquet hésita et mourut. Samek mit le fragment de côté et se remit à creuser. « Il est normal de trouver un cadavre ici », pensa-t-elle. Mais, ce qu'elle désirait trouver, c'était un morceau d'étoffe ou un parchemin ou un bijou, un indice sur l'identité du mort.

Son vœu fut exaucé. Elle sentit un objet ovale d'environ huit centimètres de long. Son rythme cardiaque s'accéléra. Elle palpa l'objet. Il était lourd et dur. Un objet de métal. Elle le serra dans sa main et se mit à rire. Peut-être tenait-elle là l'indice crucial. Elle l'enfouit dans son jean et continua à creuser.

Soudain, elle sentit une vague présence. Était-ce le mort qui reprenait vie ? Un zombie qu'elle aurait ranimé ? Un fantôme séducteur qui l'attirait dans un piège ?

Elle se retourna vers l'entrée du tombeau. Le trou était obstrué par la silhouette d'un visage. Le visage parla. C'était la voix de Nappie.

* * *

Chapitre 11

— On joue avec les morts? dit Nappie en braquant le faisceau d'une torche électrique sur le sépulcre.

— Fous-moi la paix! lança Samek.

— Sors ou je t'emmure vivante, menaça Nappie.

Au prix de contorsions de yogi, elle s'extirpa du tombeau et, bien qu'aveuglée par la torche, elle vit que Nappie avait emmené du renfort, Kino et deux obscurs individus.

Ces hommes ne lui faisaient pas peur. Elle était en colère. Elle détestait être dérangée en plein travail.

— Qu'est-ce que vous voulez?

— Ce qu'on veut? dit Nappie. Ben voyons, tu devrais le savoir.

— Occupe-toi de tes oignons! fit-elle.

Nappie fit mine de ne pas entendre.

— Le trésor du *Libertad*, siffla-t-il, je le croyais caché à Great Inagua, mais je vois que je me suis trompé. Tu m'as joué un sale tour.

— Il n'y a pas de trésor, protesta Samek. Je ne cherche rien d'autre que de vieux ossements.

Nappie regarda ailleurs.

— Ce n'est pas ce que raconte Monte Cristo dans la lettre, répliqua-t-il.

Samek palpait distraitement l'objet qu'elle avait enfoui dans son jean. Elle avait hâte de l'admirer. Nappie s'en aperçut.

Il ordonna à Kino de la fouiller.

Kino s'approcha de Samek. Elle se tendit, prête à lutter contre l'humiliation d'une fouille.

— Celui qui me touche est mort, proféra-t-elle.

Kino esquissa un sourire de plaisir anticipé.

Samek ne vit pas les hommes qui l'avaient contournée. Soudain, l'un d'eux la saisit par le bras et l'immobilisa. L'autre sortit un couteau de filetage et en pressa la pointe contre sa gorge. Un mince filet de sang se mit à couler.

— Faut pas résister, dit Nappie. Quand on aura trouvé le trésor, on te laissera le squelette.

Ils éclatèrent tous de rire.

Kino se mit à tripoter Samek. Bien qu'elle se débattît furieusement, elle ne put empêcher la brute d'insister sur les parties charnues de son corps. Après quoi, il s'empara de l'objet et le tendit à Nappie qui, aussitôt, orienta la torche dessus.

C'était plat et allongé comme une pépite d'or. Nappie soupesa. C'était lourd comme de l'or. Il retourna l'objet dans ses mains puis dévisagea Samek.

— C'est quoi ça ?

— Laissez-moi ! hurla-t-elle.

Nappie frotta l'objet sur son pantalon pour le polir. Il l'examina de nouveau. C'était jaune comme de l'or et ça ressemblait à un médaillon.

— De l'or… souffla Nappie, obnubilé.

Jubilant, il s'approcha de Samek et éleva le médaillon à la hauteur de ses yeux.

— Tu vois bien qu'il y a un trésor ici. Maintenant, il faut trouver les gros morceaux.

Samek se râcla la gorge et lui catapulta un énorme crachat au visage.

— Salope, fit Nappie en s'essuyant du revers de sa chemise. Il fit signe à l'homme au couteau. La pointe pénétra dans l'épiderme.

— Ça suffit ! dit-elle. Je ne vais tout de même pas crever pour une breloque qui n'est même pas en or.

— Pas en or ? répéta Nappie. Que veux-tu dire ?

— C'est du laiton. L'or ne s'oxyde pas de la même manière que le laiton. Ça ne vaut rien ce truc-là.

Nappie montra ses dents gâtées.

— On verra bien. Ce tombeau est bien celui de Colomb ?

— Je n'en sais rien, répondit Samek. Il faut analyser les ossements.

— C'est toi l'experte. Alors, réponds. S'agit-il du tombeau de Colomb?

— Je vous dis que je ne sais pas, répéta Samek. C'est possible.

— Bon, dit Nappie. Cela veut dire que le trésor du *Libertad* est ici, n'est-ce pas?

— Il n'y a pas de trésor, dit-elle. Êtes-vous sourds ou imbéciles?

— Allez, les gars, on creuse, ordonna Nappie.

Pendant que l'un d'eux tenait Samek en respect, les autres se mirent au travail sur la vieille tombe. Ils firent glisser la dalle et creusèrent. À part du bois pourri, des crabes translucides et d'insignifiants éclats d'os, ils ne trouvèrent rien.

— Ces ossements sont peut-être ceux de Colomb. Vous saccagez un trésor inestimable, lança Samek. Vandales!

— Si Colomb est ici, son trésor est ici. S'il n'y a pas d'argent, on se contentera des joyaux.

— Bande de bornés, dit Samek. Le trésor, le seul trésor, c'est le squelette.

Nappie et ses hommes durent se rendre à l'évidence. Il n'y avait pas d'or. Le trésor se cachait ailleurs. Mais où? Seule Samek pouvait les guider vers lui, vers la richesse. Ils allaient la faire parler.

Ils se rendirent à un phare désaffecté, tout au bout de l'île.

Avec son béton massif et sa porte d'acier, le phare pouvait être une forteresse ou une prison.

Après avoir barricadé la porte, les hommes

encerclèrent Samek comme s'ils se préparaient à assister à un combat de coqs.

— Bon, fit Nappie, l'informateur devenu l'inquisiteur. Commençons par le début. Si le trésor n'est pas dans la tombe de Colomb, où peut-il être ?

Samek défia Nappie du regard jusqu'à ce qu'il baissât la tête. Sa fierté d'Amérindienne résistait sous la menace. Ces hommes ne l'inquiétaient pas. Le pire qui pouvait lui arriver, c'était de mourir. Rien de plus.

— La sauvagesse ne veut pas parler, dit Kino. On lui triture les chairs ?

— Pas tout de suite, répondit Nappie. Soyons patients. Alors, chère madame, dis-moi où est le trésor ?

Samek resta impassible.

Nappie se tourna vers Kino.

— Y a-t-il des cavernes ici, des grottes, des trous, des crevasses ?

— Rien que du corail et du sable, dit Kino. On ne peut rien cacher dans l'île, sauf dans les tombes.

— On ne peut pas creuser dans le corail, poursuivit Nappie. Reste donc le sable. Où est le sable ?

— Mais partout, dit Kino. Vingt kilomètres de plage. On ne va pas fouiller tout ça ?

Nappie prit une profonde inspiration.

— Il ne nous reste plus qu'à attendre que la fille ait une idée.

— Mais, rétorqua Kino, Miah et Boulet vont

nous chercher. L'île est petite, ils nous trouveront vite. Il faudra relâcher la fille.

— T'inquiète pas, fit Nappie.

Les hommes s'assirent sur le sol de terre battue et échangèrent des farces de bas étage.

Samek s'éloigna d'eux et s'accroupit à son tour.

Les hommes rivalisaient de vulgarité à l'endroit de Samek. Ça les faisait bien rire. Kino se tourna vers elle et lança :

— Hé ! La squaw ! Pourquoi tu ne demandes pas au Grand Manitou de te sortir d'ici ?

Ils s'esclaffèrent. Mais Samek avait levé les yeux. Une étincelle s'était allumée dans ses pupilles.

Elle leva la tête et posa la paume de ses mains sur ses genoux. Puis, elle commença par un murmure.

— Agnâ…

Les hommes se tordirent de rire.

— C'est pas du reggae ça, fit Kino.

— C'est pire que les iguanes, fit l'homme au couteau.

Samek continua, imperturbable.

— Agnââ…

La nuit pâlissait.

Les couleurs de l'aube passaient du mauve ecclésiastique au vert militaire. L'alizé ne soufflait pas. L'humidité pesait lourd. Des orages allaient se déchaîner. Était-ce le plan de Tshishemanitu ?

Lorsque Boulet se réveilla, la maison de Miah

était vide. Les hommes devaient être à la pêche. Avaient-ils emmené Samek avec eux?

Inquiet, Boulet se rendit à la plage et aperçut la barque de ses amis. Samek ne s'y trouvait pas.

Il parcourut le village entier. Il se rendit au sommet du monument aux Espagnols pour scruter l'horizon.

Vers l'Atlantique, il vit le marais salant abandonné. Seul un vieil homme en noir râclait le sel en compagnie de son chien. Au sud, il observa la falaise blanche, le cimetière et le vieux phare. Personne. À l'ouest, dans le port, des pêcheurs vidaient des poissons. Au nord, il n'y avait que des ruines inhabitées. Partout, des buissons recouvraient le sol corallien.

Plusieurs fois, il appela:

— Sameeek! Sameeek! Sameeek!

Où était donc Samek? Pourquoi ne répondait-elle pas à ses appels répétés? Était-elle retournée à la tombe anonyme? Il pensa à Kino. Des images de violence assaillirent son esprit. Un spasme d'angoisse tordit son ventre.

Il courut vers le port et héla Miah. Dès que ce dernier eut accosté, il comprit l'inquiétude de son ami et promit de ratisser l'île. Il fallait fouiller toutes les maisons, toutes les ruines, l'édifice des communications, la vieille école, les plages, la falaise, le cimetière et le phare.

La bande se rassembla chez Miah pour établir un plan de recherche. Puis, anxieux de retrouver *la belle sauvage* comme ils l'appelaient, il s'apprêtèrent à sortir.

Au même moment, un hélicoptère camouflé par une peinture d'un noir mat apparut au-dessus du toit de l'ancienne école. Il survola l'édifice un instant, puis il s'avança et se posa dans un tourbillon de sable.

— Encore la D.E.A., dit Miah.

Ses amis se dispersèrent comme des souris vers les champs, la mer et les ruines. Miah resta seul avec Boulet.

Des soldats en uniforme noir sortirent du cockpit et se regroupèrent autour de l'appareil. Ils étaient tous armés de M 16 noirs équipés de chargeurs énormes. Leur chef pointa la maison de Miah. Sans tarder, ils se dirigèrent au pas de course vers leur objectif.

Miah et Boulet s'éclipsèrent par la porte arrière et s'évanouirent dans la nature vers la lagune.

Ils glissèrent dans l'eau saumâtre et nagèrent jusqu'au bateau échoué. Puis, ils se hissèrent dans la cabine de l'épave. L'eau leur arrivait à la poitrine. Ils étaient bien cachés.

— Ils ne nous trouveront pas ici, dit Miah.

— Mais pourquoi fuir? protesta Boulet. Ils auraient pu nous aider à retrouver Samek.

— Tu ne comprends rien du tout, fit Miah. Dans ton pays, la drogue est considérée comme un poison, un vice, une maladie. Ici, la drogue est un jeu de prédateurs et de proies. Et la police utilise ce jeu pour tenter de nous chasser de notre île.

— Mais pourquoi? Vous êtes chez vous ici, non?

— Cuba, un pays ennemi, est juste à côté. C'est pour cela qu'ils veulent transformer l'île en base militaire. Tant qu'il y a du monde ici, ils ne peuvent rien faire. Alors, ils nous harcèlent perpétuellement.

— Qu'est-ce qu'ils te reprochent à toi? s'enquit Boulet.

— De vieilles histoires, fit Miah.

— Ah bon?

— J'étais courrier pour Nassau, dit-il. Plus maintenant.

— Pourquoi t'es-tu arrêté? Des remords?

— Tu as vu le DC3 écrasé dans le champ? fit Miah. Mon frère était à bord. Ce n'est pas comme cela qu'il aurait aimé mourir. La drogue est un jeu mortel.

— Mais alors, reprit Boulet, pourquoi la police te cherche-t-elle encore?

— Je suis le chef ici. Si je craque, si j'abandonne l'île, les autres me suivront et les militaires s'empareront de Ragged Island.

— Que fais-tu depuis que tu as abandonné la contrebande?

— Je pêche, dit Miah. C'est plus relaxe et c'est aussi lucratif que la drogue.

Boulet soupira.

— Samek croit avoir découvert le corps de Colomb.

— Quoi? Le *corde colon?*

— Rien, fit Boulet. Elle a le don de se mettre

les pieds dans les plats.

— Ne t'inquiète pas, dit Miah. Dès que l'hélico sera parti, on la retrouva ta Samek.

Coude à coude dans la minuscule cabine, ils scrutaient le village à travers les hublots. La marée montait rapidement. Ils avaient de l'eau jusqu'au cou.

Le ciel s'obscurcit. L'humidité devint suffocante. Les nuages passèrent au pourpre. Les oiseaux et la mer se turent. Seules les insultes des policiers brisaient le silence.

Ceux-ci passèrent les maisons au peigne fin. Puis ils alignèrent plusieurs hommes contre le mur de l'école et les soumirent à un interrogatoire ponctué de coups de crosse. Ils ne ménagèrent pas les coups. Après tout, aucun habitant de l'île ne pouvait se disculper de se livrer à la contrebande.

Soudain, le pilote de l'hélicoptère accourut vers ses congénères.

— Sergent, dit-il, j'ai reçu un appel radio sur 2182. L'ouragan Kate s'en vient par ici. Il faut partir.

Aussitôt, les policiers firent demi-tour et s'engouffrèrent dans l'hélicoptère. L'appareil décolla et disparut vers le nord.

Dans la lagune, la marée recouvrait presque l'épave. Elle avait dépassé la ligne des plus hautes eaux. Boulet et Miah n'avaient plus que quelques centimètres d'air. Avec soulagement, ils entendirent le départ de l'hélicoptère.

— On peut sortir, dit Miah.

À ce moment précis, un mascaret venu de nulle part souleva l'épave et la retourna à l'envers. Elle retomba, quille en l'air, emmurant ainsi les hommes qui s'y cachaient. Le courant la poussa ensuite vers le rivage.

Dans le village, les habitants barricadaient portes et fenêtres, attachaient et amarraient motos rutilantes et yachts rapides.

En quelques minutes, Duncan Town se referma comme une huître. Même les chiens, les poules et les chèvres disparurent. Le ciel devint noir comme un jour d'éclipse.

Du phare, Nappie observait le va-et-vient dans le village pendant que Kino et ses gorilles scrutaient l'horizon du haut d'une muraille.

Samek avait, depuis quelques minutes, achevé ses incantations. Elle se leva et alla directement vers Nappie qui attendait sur le pas de la porte le retour de ses comparses.

— Je sais où se cache le trésor, déclara-t-elle.

— Ah! Oui? Bien, fit Nappie en se frottant les mains.

— Mais ce n'est pas un trésor qui en vaut la peine, ajouta-t-elle. En réalité, personne au monde ne se déplacerait pour l'avoir.

— Où est-il? fit Nappie.

— Dans tes culottes, salaud, lança Samek. Au même moment, elle lui assena un superbe coup de pied dans l'aine. Il se plia en deux et s'effondra en vomissant.

Sans perdre une seconde, Samek reprit le médaillon de la tombe, sortit du phare et s'enfuit à toutes jambes.

Le ciel avait pris des teintes apocalyptiques. Comme si un peintre avait laissé tomber par mégarde toutes ses couleurs sur la toile. Les nuages étaient entraînés dans un tourbillon à la grandeur du ciel.

La pluie commença à tomber et se transforma bientôt en un déluge. Puis, le vent s'éleva et, en quelques instants, passa de brise fraîche à forte tempête.

Kate, l'ouragan, arrivait sur Ragged Island.

* * *

Chapitre 12

Le vent chargé de pluie, d'eau de mer et de sable se déchaînait à deux cents kilomètres à l'heure.

Samek fuyait au hasard, désorientée par le tumulte des éléments, trébuchant dans le corail, glissant dans la boue.

Elle se tenait difficilement debout. Les bourrasques ivres la soulevaient et menaçaient de l'emporter vers la mer. La pression phénoménale de l'air en furie l'empêchait de respirer et massacrait ses tympans. Sa tête bourdonnait comme si une scie mécanique découpait son cerveau.

Les buissons se faisaient déraciner. Les toits des maisons s'envolaient comme de fragiles palmes. La mer envahissait l'île, la grugeait, la rongeait, réduisait en sable les récifs et les îlots avoisinants. Le marais salant, vieux de deux cents ans, fut englouti par l'Atlantique.

L'île tout entière s'enfonçait dans l'écume. Le vent hurlait comme une locomotive folle. La terre grondait comme un milliard de tambours de guerre.

Il n'y avait plus ni ciel ni terre. L'air et la mer se fusionnaient pour ne plus former qu'un seul et même élément de destruction.

Dans sa fuite éperdue, Samek se sentait comme une aveugle dans des montagnes russes déréglées. Écrasée par le vent, elle trébucha et, les mains ensanglantées, s'agrippa de toutes ses forces aux aspérités du corail.

Soudain, ce fut le silence. Un silence irréel, magique. L'œil de l'ouragan passait sur Ragged Island comme un faux répit.

Samek entendit le tintement de l'eau à travers le corail. Elle avait l'impression d'avoir été catapultée dans une autre dimension, comme si le film d'horreur s'était figé.

Un rayon de soleil éclaira le paysage d'hécatombe. Les couleurs de la nature étaient celles d'un créateur dément.

Elle se releva et embrassa du regard l'étendue de la dévastation.

La topographie de l'île avait changé. Le village semblait sortir d'un bombardement; certaines maisons n'avaient plus de toit, d'autres, plus de murs. L'antenne de télécommunications s'était envolée comme une feuille morte. Dans la lagune devenue un lac, une multitude de débris s'entrechoquaient au rythme saccadé des flots.

Samek ne réussit pas à s'orienter. Mue par son instinct, elle se mit à marcher vers le vieux cimetière. Elle ne pensait pas à s'enfuir. Elle ne pensait pas à Kino, ni à Nappie, ni même à Boulet. Comme la promesse d'un refuge absolu, le vieux cimetière l'attirait. Elle se retrouva devant la tombe anonyme qui l'appelait irrésistiblement. Le vent recommença à rager. L'ouragan revenait sur l'île avec une fureur renouvelée. Samek n'avait pas le choix, elle devait se protéger.

Elle se glissa dans la tombe et s'allongea ventre contre ventre sur celui qu'elle croyait être l'Amiral de la Mer Océane. Aussitôt, elle se sentit faiblir. Ses membres s'ankylosèrent, sa respiration se ralentit comme au seuil de la mort. Mais elle ne se débattit pas. Elle s'abandonna à ce désir de quitter son corps, désir à la fois délicieux et terrifiant. Elle laissa le sable du sépulcre aspirer son énergie vitale. Elle invita le squelette à l'envelopper, à l'enlacer. Il lui semblait que sous son ventre, des cendres voulaient renaître. Des crabes vinrent se blottir contre elle. Peut-être étaient-ils là pour la raccrocher à la vie.

Le carnage de l'ouragan reprit de plus belle. L'île tremblait comme si elle allait être arrachée de son socle millénaire. Le tombeau vibrait sur ses fondations.

Samek se pressa contre le sable et ferma les yeux.

Une lumière éblouissante se fit dans son esprit, comme s'il était happé par les tentacules scintillants d'une méduse électrique.

Samek bascula dans un monde d'ailleurs. Sous elle, le sable se réchauffait et provoquait dans son ventre des grouillements inquiétants. Elle se sentait envahie, envoûtée, pénétrée. Son bassin se mit à onduler sur le sable vivant.

Les rafales de vent se succédaient au rythme d'un chœur de fin des temps.

Le rêve de Samek était troublant comme un mal d'amour.

Elle n'était plus seule dans son voyage. De toutes les fibres de son être, elle ressentait une présence. La présence d'un homme. D'un marin.

Le rêve prit forme, odeur et son.

Samek vit une nuit de tempête. De longs rouleaux couraient sur l'Atlantique et leurs crêtes éclataient dans la luminescence. Elle vit un navire à voiles à deux mâts carrés, poussé par le vent en colère.

Le brigantin fonçait le long des côtes de Ragged Island. Mais l'île ne ressemblait pas à Ragged Island. Il n'y avait pas de marais salant, pas d'antenne de télécommunications, pas de village, pas de rue, pas de maisons.

Le bateau lui semblait familier. Elle vit les planches noires de son bordé, son étrave qui plongeait dans la mer et en ressortait en crachant l'écume. Un nom apparut sur la proue. Samek savait. Ce nom, c'était *Libertad*.

Le téméraire brigantin s'approchait dangereusement de la côte acérée, comme s'il voulait la toucher d'une caresse suicidaire.

Le bateau arriva en face de l'étroite ouverture dans les récifs, entre Hog Cay et Ragged Island. À bord, les officiers hurlaient en espagnol des ordres que personne n'entendait. Au bord de la panique, le barreur mit le cap sur les récifs. Le brigantin vira entre les brisants et se faufila dans l'entrée.

Un frisson traversa le *Libertad*. Sa coque de bois venait d'éclater dans un bruit sourd de fracture d'os.

Le bateau vira sur lui-même et s'immobilisa entre les mâchoires du récif.

La houle de l'Atlantique démantela le malheureux navire. Ses mâts s'écroulèrent, sa cabine s'affaissa, son bordé s'ouvrit à la mer.

Les marins hagards réussirent à mettre une chaloupe à l'eau et, au risque de leur vie, y descendirent un cercueil. Puis, alors qu'ils s'apprêtaient à répéter la manœuvre avec un coffre, le *Libertad* s'inclina violemment. Les marins perdirent pied, glissèrent à la mer et disparurent dans les eaux noires.

Le *Libertad* s'écroula ensuite comme un château de cartes. La chaloupe chavira et les flots tumultueux emportèrent le cercueil.

Samek put distinguer dans la nuit de tempête une silhouette qui glissait, furtive, parmi les débris du brigantin. C'était celle d'une pirogue qui disparut derrière Hog Cay.

Le cercueil vint s'échouer sur la plage, au nord de Ragged Island.

Le cinéma fantastique de Samek n'arrêtait pas de créer des images nouvelles, mêlées à l'odeur iodée des algues.

Le vent s'était calmé et le soleil du matin séchait les traces de la tragédie. Le cercueil gisait dans le sable, gardé par les cadavres gonflés de deux marins espagnols.

Samek vit deux Noirs en loques, bracelets de fer aux poignets et aux chevilles. Ils donnaient en riant des coups de pied dans les cadavres. Ils tentèrent sans succès d'ouvrir le cercueil. Ils discutèrent dans une langue gutturale puis coururent vers le village.

Mais il n'y avait pas de village, pas de Duncan Town. Dans la lagune, deux navires anglais mouillaient paisiblement. Un va-et-vient incessant se faisait entre les navires et la plage dénuée de quai et de maisons. Des ouvriers noirs déchargeaient sur la grève des planches, des coffres, des meubles, des outils. Ils portaient des chaînes à leurs pieds. Des soldats les surveillaient. Leurs fouets fendaient l'air. Les ouvriers étaient des esclaves.

Tout en haut de la colline, là où se dresserait un jour la maison de Miah, un pavillon britannique flottait. Une famille anglaise affublée de franges et de dentelles mangeait autour d'une table couverte de fine porcelaine. Le digne maître de céans, coiffé d'une perruque, était un vieil homme vêtu d'un uniforme militaire chamarré.

Samek connaissait cet homme. Elle avait déjà vu son portrait au cours de ses recherches. C'est lui qui allait donner son nom au village. C'était Archibald Duncan connu pour ses exploits militaires aux Bahamas. Il avait chassé les flibustiers. Il avait combattu les Américains. Il était resté fidèle à l'Angleterre. Archibald Duncan, le loyaliste, venait d'arriver à Ragged Island.

À bout de souffle, les deux Noirs arrivèrent aux limites du campement. Un majordome les arrêta en les rouant de coups de bâton. Habitués à l'humiliation quotidienne, ils tombèrent à genoux et s'écrasèrent sur le sol. À travers leurs lamentations, ils décrivirent la scène du naufrage. Leur message livré, le majordome les chassa et se rendit à la table des maîtres. Il rapporta au commandant Duncan ce qu'il avait entendu. Un événement insolite s'était passé sur la plage nord de l'île. Il était question de cercueil, de cadavres et de naufrage.

Le loyaliste termina son repas tranquillement. Puis, après avoir distribué des consignes à ses officiers, il fit préparer son cheval et partit vers le nord de l'île en compagnie d'esclaves qui le suivirent en courant.

Là, il découvrit les cadavres, le cercueil et les débris du voilier.

Samek entendit des bribes de conversation. Duncan parlait.

— Bien que ces Espagnols soient nos ennemis, dit-il en s'adressant à ses esclaves, voilà une excellente occasion d'apprendre à respecter les morts, vous qui abandonnez les vôtres partout. Tout chrétien est digne d'une juste sépulture.

Duncan donna ses directives.

Les esclaves soulevèrent les cadavres et le cercueil, puis les transportèrent sur le site du futur village. On apporta aussi un mât du *Libertad* qui était venu s'échouer sur la plage.

Les visions de Samek s'embrouillaient. Elles se formaient par bribes, par tableaux incomplets.

Des esclaves descendirent deux cercueils dans un sépulcre construit au sommet d'un monticule. Ils y érigèrent ensuite un monument surplombé du mât trouvé sur la grève. Un prêtre récita des prières en latin et bénit une plaque de bronze de quelques gouttes de son goupillon.

Puis, Samek vit une procession funéraire. Un groupe d'Africains silencieux faisaient grincer leurs chaînes en suivant des aristocrates à cheval. Un chariot transportait le cercueil trouvé sur la plage, le cercueil du *Libertad*. Ils atteignirent un lieu désert. Là, des esclaves ouvriers placèrent le cercueil de bois dans un sépulcre et cimentèrent la dalle. Un marin anglais se pencha, burin et marteau en main pour y graver un message commémoratif.

Anonymous. 1795.

Les visions de Samek s'effaçaient. Le passé se volatilisait.

Elle refaisait surface. Elle revenait au monde.

Dehors, le vent irrégulier ne soufflait plus qu'avec la force d'un blizzard. Samek se rappela les tempêtes d'hiver au Québec. L'ouragan avait faibli.

Elle ouvrit les yeux. Elle grelottait. Elle se sentait vidée comme après le baiser d'un vampire. Elle tenta de se raccrocher à la chaleur de son rêve, à la limpidité de son voyage temporel. Elle s'agrippa de toutes ses forces à ce sable qui avait servi de linceuil à Colomb.

Du coin de l'œil de sa mémoire, elle revit les péripéties de son voyage, le *Libertad* qui pénétrait dans le chenal, son naufrage, les marins engloutis dans la mer, le cercueil emporté par les flots, la silhouette furtive de la pirogue.

Ce n'était plus un rêve. Le rêve s'était évanoui. Il n'en restait plus que la mémoire.

Samek n'avait plus d'emprise sur le passé. Elle n'avait plus de lien avec l'Amiral redevenu un tas d'os.

Des questions la hantaient maintenant. Que contenait ce coffre aperçu à bord du *Libertad* ? Était-ce le trésor espagnol ? Avait-il coulé avec le navire ?

La confusion se fit dans son esprit. Des images se succédaient sans logique. Elle vit un bateau qui coulait et qui n'était pas le *Libertad*.

C'était un bateau de pêche qui s'abîmait dans la mer. Et, derrière un rideau d'eau noire, Boulet souriait. Il disait adieu.

Samek ne rêvait pas. Elle n'était plus dans le passé. Boulet faisait partie du présent et il était en difficulté. Il l'appelait. Elle rassembla ses forces et se hissa hors du tombeau. Il était temps. Les eaux de l'Atlantique avaient envahi Ragged Island et s'apprêtaient à submerger la tombe.

Samek vit la mer monter sur le sable et lécher le sépulcre. Puis, en quelques instants, les vagues s'emparèrent du tombeau, l'effritèrent et emportèrent ses débris au loin.

La mer avait repris possession de Colomb.

Samek sourit tristement, comme une amante saluant son marin bien-aimé en partance pour l'éternité.

Elle se tourna face au vent. Le sable gifla son visage et la ramena à la réalité.

Elle entreprit une pénible marche vers la lagune, là où Boulet se battait pour sa vie.

* * *

Chapitre 13

Le ventre en l'air, l'épave du chalutier emprisonnait Boulet et Miah. Par miracle, une poche d'air était coincée dans les entrailles moisies du bateau. Les hommes buvaient désespérément à cette mince source d'oxygène, suçant chaque molécule d'air.

Dans la nuit artificielle, opaque, feutrée comme une noyade, la mort rôdait. Les sens alertés par le silence, Miah sentit graduellement la présence du danger. Des coups répétés sur la coque confirmèrent ses craintes. *Ils étaient là*. Les poumons sur le point d'éclater, il tenta sans succès d'avertir Boulet.

Attirés par les proies angoissées, des requins s'étaient invités au festin. Pour se mettre en appétit, ils exécutèrent une danse rituelle, s'approchant et s'éloignant des hommes, les éraflant au passage, reniflant le goût du sang chaud, tournoyant autour d'eux, enivrés par l'arôme de la peur.

Miah tenta d'éloigner les prédateurs en leur distribuant des coups de pied, mais l'inertie de l'eau amortissait ses mouvements. Son manège ne faisait qu'exciter les squales.

Pendant ce temps, Boulet enfonçait ses ongles dans les planches du bordé et grattait avec l'énergie du désespoir quand, soudain, un étau monstrueux referma ses mâchoires sur sa jambe. Une vaste pression s'exerça sur son genou malade.

Aussitôt, Boulet se recroquevilla. Ses mains rencontrèrent une surface dure et rude comme du papier de verre.

Le requin prenait sa jambe pour un chiche-kebab.

Boulet ne paniqua pas. Il saisit le squale par la taille et enfonça ses mains dans l'abdomen mou. Puis, dans une formidable décharge d'adrénaline, il resserra son étreinte. Surpris, le requin hésita. Puis, il ouvrit la gueule toute grande et libéra sa proie.

Il rejeta ensuite le contenu entier de son estomac: une mouette, une cannette de bière, un clavier d'ordinateur, des poissons, une brosse à dents électrique et un calmar à demi digéré.

Boulet appuya plus fort. Le pauvre squale dégurgita son estomac, son cœur, ses reins et sa vessie natatoire. Il avait été littéralement retourné à l'envers, comme une vulgaire chaussette.

Puis, sentant l'asphyxie imminente, Boulet s'arc-bouta contre une cloison et se tendit comme une catapulte. Il s'élança et, d'un puissant coup d'épaule, défonça les planches de la coque.

Une lumière verte pénétra par le trou. C'est alors que les hommes virent les nombreux requins qui se régalaient du sang et des viscères de leur congénère.

Les hommes bondirent vers la lumière et émergèrent, exorbités, étranglés par la soif d'air.

Pendant un bon moment, ils furent étourdis par l'effet narcotique de la surdose d'oxygène.

Le vent fou les ramena à la réalité. Les vagues et l'écume déchaînaient les eaux de la lagune et risquaient de les noyer.

Ils réussirent à nager dans la direction du vent, malgré les débris hétéroclites qui flottaient partout. Ils eurent le temps d'apercevoir le bateau que le corail finissait de déchiqueter. Il étaient passés à un cheveu d'être avalés par une épave, dévorés par les requins ou réduits en charpie sur les rochers.

Ils atteignirent le quai du village. Des bourrasques de cent kilomètres à l'heure défonçaient leurs tympans. Ils réalisèrent l'étendue des dommages causés par l'ouragan.

Boulet saignait peu et ne ressentait aucune douleur, le requin n'ayant pas eu le temps d'entamer son repas. Ce qui importait pour lui maintenant, c'était Samek.

Miah partageait l'angoisse de son ami. N'avait-il pas garanti sa protection personnelle? C'était pour lui une question d'honneur que de retrouver Samek, malgré l'ouragan qui avait dévasté son village.

Ils gravirent la côte et atteignirent Duncan Town transformé en décor d'hécatombe.

La force du vent s'était atténuée. Il ne soufflait plus qu'une violente tempête. Les villageois sortirent peu à peu de leurs abris et se mirent à évaluer les dommages et l'ampleur de la reconstruction. Malgré la désolation, ils blaguaient. Les insulaires de Ragged Island se moquaient des ouragans, comme ils se moquaient des autorités et de la mort.

— On va construire du neuf, dit l'un d'eux.

— On avait besoin d'un bon ménage, fit remarquer un autre.

Boulet et Miah traversèrent le village en contournant les décombres. Ils cherchèrent Samek partout, dans les maisons, aux détours des rues, sous les débris. Rien. Nulle part, il n'y avait d'indices de sa présence ou de son passage. Personne ne l'avait vue. Boulet était désemparé. Où pouvait-elle bien se cacher? Où était son amie? Sa Garnotte. Sa seule vérité en dehors du hockey.

Ils arrivèrent à la limite du village, là où, une heure plus tôt, se dressait encore l'antenne de télécommunications. Ils continuèrent vers le monument aux marins espagnols qui avait

168

perdu son mât commémoratif.

Boulet hurla le nom de Samek à tout vent. Ses cris déchirants se noyèrent dans la pluie. Peu à peu, ses appels devinrent une complainte qui se mêlait au vent lugubre.

— Sameeek! Sameeek!

Miah prit le bras de son ami. Boulet s'apprêtait à appeler de nouveau quand son attention fut captée par un mouvement au loin. Il essuya l'eau qui l'aveuglait et plissa les yeux. Une silhouette dansait dans le décor embrouillé. Elle courait dans sa direction.

Il reconnut l'agilité du coureur. Il reconnut l'enfant des bois. Une bouffée de chaleur naquit en lui comme la première fois qu'il l'avait vue au détour de son enfance.

Il dévala le monticule dans une avalanche de boue et se précipita vers elle.

Comme une biche de la mythologie, elle sautait de rocher en rocher, poussée par le vent et la passion.

Ils s'arrêtèrent à quelques pas l'un de l'autre.

Un sourire de Noël éclairait le visage de Samek. Elle souriait comme si rien n'était, ni ouragan, ni agresseurs. Elle souriait comme une enfant, de tout son être.

Elle s'avança et se blottit contre lui.

Il referma ses bras sur elle.

Peut-être étaient-ce des larmes ou seulement des gouttes de pluie qui ruisselaient sur leur visage?

Miah souriait de toutes ses dents. Quelque

peu gêné, il se mit à chanter du Bob Marley.

Avec douceur, Boulet éloigna Samek de lui.

— Tu vas bien? demanda-t-il.

Samek dévisagea son ami. Dans ses yeux noirs brillait la lueur d'une certitude inébranlable.

— Ça y est, dit-elle.

— Ça y est? fit Boulet. Mais quoi donc?

— J'ai découvert le sépulcre de Colomb. C'était bien la tombe anonyme.

— Hein? Pendant tout ce temps, tu faisais des fouilles? C'est pas vrai. C'est là que tu te cachais? Dans la tombe? Je t'ai cherchée partout. Ce n'est pas très brillant de disparaître comme ça, pendant un ouragan. Nous, on a failli se noyer.

— Pardonne-moi Boubou, mais tu vois, j'ai été kidnappée par Nappie et sa bande.

— Nappie? fit Boulet. Il t'a fait du mal?

— Non, répondit Samek. Il fabule sur le trésor du *Libertad*. Il s'imagine que j'en connais la cachette.

— Où est-il ce vieux rat?

— Dans le phare. C'est là qu'ils m'ont séquestrée.

— Les autres? demanda Miah.

— Les autres, c'est nous, répondit une voix qui venait du versant caché du monticule.

Kino et ses deux gorilles sortirent de leur cachette.

— Tiens, tiens, fit Samek. On parle du diable et voilà qu'il apparaît.

170

Les trois hommes étaient armés de longues machettes. Il s'approchèrent, confiants.

— Comme on se retrouve, dit Kino sans complaisance. Nous avons des comptes à régler. Ça fait assez longtemps que j'attends.

— Fais pas le con, Kino, dit Miah.

— Ta gueule ! coupa-t-il. J'en ai assez d'être ton serviteur. C'est jour d'élections aujourd'hui. On change de patron. L'ouragan va faire trois victimes. Quel dommage.

Sans avertir, Kino fit siffler sa machette. Elle s'arrêta dans le bras de Miah. Au même moment, un autre gorille fonça sur Boulet, machette brandie.

Boulet vit la lame s'abattre. Il eut juste le temps de lever son poing vers la trajectoire meurtrière. La machette heurta un objet dur et se retrouva sur le sol. Boulet venait d'effectuer un arrêt spectaculaire avec sa bague de la coupe Stanley.

Il jeta un coup d'œil sur sa bague et s'exclama :

— Tu l'as égratignée ! Il a égratigné ma bague !

Il s'approcha du pauvre homme et s'apprêta à le réduire en bouillie pour les chats. Sans demander son reste, le primate humain s'enfuit à toutes jambes. Boulet se tourna ensuite vers le troisième escogriffe. Celui-là n'en menait pas large. Samek le tenait par les cheveux, visage contre terre. Plus il se débattait, plus le scalp s'agrandissait.

Boulet se porta ensuite à la défense de Miah, blessé par Kino.

Ce Kino, il le savait, était un tueur. Il ne perdit pas un instant et fondit sur lui. D'une main, il lui arracha sa machette, et de l'autre, il le saisit par le cou. Puis, dans un geste mesuré, il le souleva de terre et le suspendit pendant d'interminables secondes. Le visage du renégat se mit à enfler. Ses lèvres bleuirent. Il gigotait comme un ver empalé sur un hameçon.

Kino perdit connaissance et s'écrasa dans la boue. Il y resta bien enfoncé.

Samek laissa filer sa victime épouvantée.

Ils se penchèrent sur Miah qui baignait dans son sang. Déjà, Samek s'était empressée de déchirer son T-shirt pour enrayer l'hémorragie.

— Il faut l'emmener à l'hôpital, dit-elle.

— Ça va, fit Miah.

— On va prendre ton bateau, s'il flotte encore, proposa Boulet.

Boulet laissa Miah avec Samek et courut vers le port en espérant y trouver le bateau encore à flots. Il dévala la côte et aperçut le *Scarrab* qui dérivait au milieu de la lagune. Par miracle, il avait été épargné par l'ouragan.

Il nagea jusqu'au bateau, se hissa à bord et vit qu'il était rempli d'eau de pluie et sur le point de couler. Il trouva une écuelle de plastique et écopa avec l'énergie d'un hockeyeur en série finale. Il écopa plus vite qu'il ne pleuvait, si bien qu'après une heure d'efforts, le bateau était presque vidé.

Il trouva le bouton du démarreur et appuya dessus. Un peu de fumée s'éleva du tableau de bord. Il essaya encore. Les moteurs gémirent un court instant et se mirent enfin à ronronner. Il pilota le yacht jusqu'à la berge.

Il revint au village, parmi ses amis.

— Le moteur a démarré, dit-il à Miah. Maintenant, il faut t'emmener.

— Faut pas s'énerver, répondit le Bahaméen.

Pendant que Samek, Boulet et Miah traversaient le village, une ombre rôdait autour du *Scarrab*.

Ils atteignirent la lagune et virent avec soulagement que les moteurs du yacht vrombissaient avec régularité. Ils se hissèrent à bord et sans tarder, Boulet s'installa aux commandes. Il mit cap au nord et, d'un geste sec, abaissa la manette des gaz. Le bateau déjaugea et se mit à planer sur l'eau turquoise.

La mer était encore fouettée par les vents résiduels. Le *Scarrab* cognait durement contre la vague et les débris.

— Laisse, fit Miah, je ne saigne plus. Je connais la région. Il vaut mieux que je pilote.

Miah était natif de Duncan Town. La mer coulait dans ses veines. Il était champion incontesté du rodéo nautique. Au volant de son bateau, il jouissait. Il en oublia sa blessure, l'ouragan, la dévastation.

Ils passèrent près de l'épave du vieux cargo. Il n'y avait plus aucun signe de la *Pitoune à Toutoune*. Samek jeta un dernier regard vers cette île où Colomb était venu finir ses jours de mort.

Le *Scarrab* traversa à pleins gaz la baie au nord de Ragged Island. À droite, l'Atlantique s'engouffrait à grands fracas à travers une ouverture dans la barrière de corail.

Le décor semblait familier à Samek. Comme si elle avait déjà vu ce tableau quelque part. C'était un souvenir lointain comme la fin d'un écho.

Elle creusa sa mémoire. Quand avait-elle vu une telle ouverture entre des récifs où l'Atlantique déferle? Et ce n'étaient pas seulement ces récifs. Le paysage tout entier lui rappelait quelque chose. Même cette île qui grossissait en avant.

— Comment s'appelle l'île devant nous? demanda-t-elle à Miah.

— Hog Cay, répondit-il au volant de sa bombe, louvoyant habilement entre les hauts-fonds.

— Qu'est-ce qu'il y a dans cette île? poursuivit-elle.

— Rien. On ne va jamais à Hog Cay.

— Jamais?

— Jamais.

— Et pourquoi donc? insista Samek.

— Bof! fit-il, dans les temps anciens, à l'époque des esclaves, c'était une île tabou, quelque chose comme ça. De toute façon, il n'y a rien dans cette île, alors on n'y va jamais.

Soudain, Miah dut virer brusquement afin

d'éviter un tronc d'arbre. Il grimaça de douleur et demanda à Boulet de le remplacer. Sa blessure lui faisait mal.

Samek fixait le nord, droit devant. Là, une île reliée à un bras de corail lançait un défi à sa mémoire. Elle était sûre d'avoir déjà vu ce paysage.

Au prix d'un intense effort d'introspection, un souvenir se dessina.

« Ce rêve pendant l'ouragan », songea-t-elle. Dans la tombe... Ces images, ces paroles, ces odeurs de sépulcres et d'algues lui avaient semblé si réelles.

Elle se souvint du naufrage du *Libertad*, du cercueil emporté par les flots. Elle se souvint de la pirogue furtive qui avait disparu derrière une pointe de terre.

Une pointe de terre identique à celle qui se présentait devant eux. C'était donc ça. Elle avait vu en rêve le cap de Hog Cay. Mais quelle était donc cette pirogue qu'elle avait aperçue et quel rôle avait-elle joué pendant le naufrage du *Libertad* ?

Droit devant, à Hog Cay, se trouvait la solution de ces énigmes. Mais le temps pressait. À côté d'elle, son ami Miah souffrait. Sa blessure exigeait des soins. Elle fit taire ses passions archéologiques et tenta d'oublier le destin de Colomb. Elle choisit plutôt de sauver Miah, son nouvel ami.

Boulet lui confia le volant du *Scarrab* et se dirigea vers l'arrière du bateau pour vérifier le niveau d'essence.

— Garde ce cap, cria-t-il dans le bruit des moteurs, du vent et du clapotis. On va se protéger de la mer en longeant les îles.

Le bateau effleurait à peine la surface de la mer. Samek pilotait d'une main ferme et fonçait tout droit sur Hog Cay.

Elle doubla à pleins gaz le cap de Hog Cay.

— C'est ici qu'on vire? demanda-t-elle à Miah sans quitter l'île des yeux. Il n'y eut aucune réponse.

Miah se retourna vers l'arrière du bateau.

— Ah! non, lança-t-il.

Samek jeta un regard furtif par-dessus son épaule.

Nappie était là, debout dans un coffre à essence, une Winchester à pompe dans les mains. Il tenait Boulet en joue, un rictus sur les lèvres.

«Pour ceux qui croient aux armes, la victoire est rapide. Mais dure-t-elle longtemps»? songea Boulet.

* * *

Chapitre 14

— Ralentis ! ordonna Nappie.

Samek releva les manettes. Le *Scarrab* s'arrêta et s'abandonna au ballottement de la mer encore agitée.

Ils se trouvaient en face d'une baie discrète dont l'entrée était camouflée par des palmiers. Surplombant la baie, Hog Cay exhibait une colline qui, au pays plat des Bahamas, se distinguait du haut de ses vingt mètres.

Nappie s'extirpa du compartiment et s'appuya contre la rambarde. Il enclencha une balle dans le canon, leva son fusil et tira en l'air. La décharge assourdissante le plaqua contre la lisse.

— C'est un fou, dit Miah.

Boulet ne put s'empêcher de sourire devant la tournure burlesque des événements.

— C'est moi le chef maintenant, dit Nappie, confiant du pouvoir que lui conférait son fusil anti-émeute, l'arme choyée par les forces sud-africaines et israéliennes.

— C'est pas vrai? fit Samek. Dites-moi que je rêve. Il ne démord jamais ce gars-là? Il faut emmener Miah à l'hôpital. Ça urge. Alors, toi et moi, nous allons gentiment oublier les trésors. D'accord?

— Ta gueule, femme! dit-il.

Puis, s'adressant à Boulet:

— Toi, au volant. On retourne à Duncan Town. Vous allez creuser.

— Il n'y a rien à Duncan Town! lança Samek.

— Faites ce que je dis, riposta Nappie, ou je vous abats l'un après l'autre.

Nappie ne bluffait pas.

— Vas-tu finir par m'écouter, espèce d'emplâtré mental! hurla Samek. Le trésor du *Libertad* n'est pas à Ragged Island. Il est juste en face de nous, à Hog Cay.

Les yeux de Nappie s'agrandirent. Même si elle se payait sa tête, il lui fallait écouter les paroles de la scientifique.

— Tout ce que je sais, fit-elle, c'est qu'un coffre du *Libertad* est caché dans Hog Cay.

— Ouais... fit Nappie, torturé par le doute.

— Je n'ai pas de preuve, admit Samek, mais il faut me croire.

— Samek est montagnaise; elle ne ment jamais, dit Boulet.

— Je te propose un marché, dit-elle. Je te

178

dépose à Hog Cay et tu nous laisses partir. Miah a besoin d'un médecin.

Nappie hésita. La compassion était une émotion qu'il ne parviendrait jamais à comprendre. Mais cette femme était une archéologue géniale et pouvait le conduire à la richesse instantanée.

— On y va tous ensemble, décida-t-il. Plus vite on trouve le trésor, plus vite votre ami est soigné. Et je vous préviens, pas d'entourloupettes.

Il pointa le canon de sa Winchester vers Boulet.

— Un seul faux pas et je te coupe en deux.

Boulet abaissa la manette des gaz. Le *Scarrab* s'emballa et glissa vers la baie. Quelques minutes plus tard, le yacht toucha le sable et s'immobilisa sur la plage. Boulet coupa les moteurs.

Ils débarquèrent.

— En avant! dit Nappie en poussant ses otages de son arme.

Ils s'aventurèrent à l'intérieur de l'île.

Samek analysa la morphologie de l'île afin d'en déduire sa structure interne. «S'il y a un trésor ici, pensa-t-elle, il ne peut se cacher que dans les hauteurs, à l'abri des grandes marées».

Ils gravirent donc la colline rendue chauve par l'ouragan.

Au sommet, il n'y avait que du calcaire blanc, des coquillages morts et des trous d'iguanes ensevelis sous le sable.

Samek tendit l'oreille vers le nord. Malgré le concert du clapotis contre l'île, un écho se répercutait avec plus de souffle que les autres.

Elle marcha dans cette direction jusqu'au bord de la falaise. Là, elle vit un ressac qui témoignait d'une ouverture sous le corail à travers laquelle la mer s'engouffrait.

Elle revint sur ses pas en scrutant le sol accidenté. Soudain, elle s'arrêta devant un trou juste assez gros pour laisser passer une marmotte, duquel sortaient de grosses racines ligneuses.

— Il faut agrandir ce trou, fit-elle avec assurance, bien que le doute tenaillât son esprit. Elle n'avait fait qu'un rêve après tout. Quelle preuve avait-elle de l'existence d'un coffre? Mais peu importait, elle gagnait du temps et l'occasion de renverser Nappie se présenterait à elle tôt ou tard.

Elle s'agenouilla et dégagea, un à un, les cailloux calcaires. Au bout d'une heure épuisante, elle se pencha au-dessus du trou. Les racines pendaient dans le vide, dans une grotte.

Elle s'agrippa aux racines et se laissa glisser sur une dizaine de mètres jusqu'au sol.

Elle mit de longues minutes à s'adapter à l'obscurité. Peu à peu, elle put entrevoir le volume de la grotte. «Dix mètres tout au plus de diamètre», évalua-t-elle.

C'était une grotte typique des Bahamas. Samek s'approcha d'une paroi rugueuse et y distingua une crevasse verticale. Elle avança sa main. Aussitôt, une chauve-souris énorme s'envola à toute épouvante. Samek ne put réprimer un cri.

— Tu vois quelque chose ? demanda Boulet du haut de la mince voûte.

— Oui, lança-t-elle.

Boulet descendit le premier, suivi de Miah et de Nappie qui, ne pouvant à la fois tenir son fusil et s'accrocher aux racines, termina la descente sur le derrière.

Samek aperçut sur la paroi des marques qui n'étaient pas celles d'un phénomène géologique. Leurs formes ressemblaient à des taches d'humidité, mais leurs contours symétriques révélaient autre chose.

Elle écarquilla les yeux et vit que les marques étaient en réalité des esquisses, comme des dessins d'enfant.

Elle se déplaça latéralement et vit des ébauches de palmiers, d'iguanes, de poissons, d'une étrange créature à trois têtes. Il y avait aussi cet autre dessin constitué d'une espèce de losange vertical, de deux traits horizontaux et, plus bas, d'une ligne ondulée. Un cube occupait le centre du losange. Tout autour, il y avait des symboles anthropomorphiques.

Elle inclina la tête pour observer l'inscription à la verticale et, peu à peu, en découvrit la signification. Le dessin racontait une histoire.

Le losange symbolisait un bateau, et la ligne ondulée, la mer. Les traits représentaient des mâts carrés. Le bateau était un brigantin. Le cœur de Samek battait la chamade. Ses jambes faiblirent. « Le *Libertad*... » pensa-t-elle. Le cube serait-il le coffre aperçu dans son rêve ?

Ses pensées se bousculaient dans la course folle des hypothèses. Tout ce qu'elle savait de l'art précolombien refaisait surface et se voulait la solution de l'énigme. « Ce dessin est absurde », se répétait-elle.

Boulet et Miah s'étaient approchés d'elle.

— Des dessins lucayens, murmura-t-elle dans un souffle de vénération mystique. Nous avons découvert une caverne lucayenne.

— C'est quoi ces signes ? s'enquit Nappie.

Samek n'entendit pas la question, absorbée tout entière par le spectacle fabuleux. Elle était au paradis des archéologues.

— De l'art lucayen... fit-elle en caressant les symboles sur le calcaire.

— Que signifie ce dessin ? demanda Boulet en indiquant du doigt le losange vertical.

— Ce... ce dessin n'a aucun sens, fit-elle. C'est un anachronisme. Il représente un brigantin du dix-huitième siècle.

— Et alors ? fit Boulet.

— Il est impossible qu'un Lucayen ait pu dessiner ce bateau pour la bonne et simple raison que les Lucayens n'existent plus depuis 1525.

Même Nappie écoutait les explications de Samek. Elle poursuivit.

— Les Lucayens, dit-elle, formaient un peuple doux et pacifique. Dans leur langue, il n'y avait pas de mot pour guerre et pouvoir. Quand les indiens Caraïbes les attaquaient pour voler leurs femmes très belles, ils ne se défendaient pas. Ils se réfugiaient plutôt dans des cavernes.

— Comme celle-ci, fit Boulet. Et que leur est-il arrivé ?

— Ils périrent tous. En trente-trois ans, les Espagnols exterminèrent 250 000 individus, hommes, femmes et enfants, nouveau-nés et vieux sages, c'est-à-dire le peuple entier. Sans doute ont-ils tous été baptisés avant d'être empalés. Voilà donc pourquoi il est impossible que ce dessin soit l'œuvre d'un Lucayen. Pourtant, les styles sont identiques. À moins que...

— Continue, fit Boulet, vivement impressionné.

— À moins qu'une famille lucayenne ait survécu incognito pendant 270 ans dans cette caverne clandestine. Mais pourquoi ? Pour échapper au bûcher de l'envahisseur ? Pour attendre un dieu libérateur ? Pour perpétuer la race ?

Samek se tourna vers Boulet.

— Te rends-tu compte ?

— Si je comprends bien, c'est ici qu'aurait coulé le *Libertad* et tu penses que ce dessin évoque le drame ? demanda Boulet.

— Exact, dit-elle.

— Donc, les trésors nationaux pourraient se trouver...

— ...dans cette caverne, acheva Samek.

— Le trésor, c'était le corps de Colomb ? s'enquit Boulet.

183

— Non, je parle d'un vrai trésor, d'un coffre.

— Comment sais-tu cela ?

— Heu… J'ai appris ça ailleurs, fit Samek.

— Assez ! hurla Nappie. Où est le coffre ?

Samek ne répondit pas. Elle se mit à longer la paroi et, à tâtons, chercha une anfractuosité. Son pied toucha le vide. Elle se pencha et distingua une crevasse. Elle s'allongea, s'y faufila et disparut.

La crevasse rugueuse descendait dans les entrailles de la terre. Poussée par une intense curiosité, Samek s'enfonça dans la pierre.

Coudes et genoux à vif, elle rampa pendant d'interminables minutes. À mesure qu'elle avançait, une lueur créait des ombres nouvelles. Elle rampa encore deux, peut-être cinq minutes. Ce qu'elle vit ensuite la sidéra.

Elle avait débouché dans une grotte gigantesque, véritable cathédrale de l'âge de pierre. Elle leva les yeux et vit un bout de ciel bleu à travers une fracture dans la voûte. Au centre, un étang diffusait la lumière de l'extérieur. Elle en goûta l'eau et comprit qu'il était relié à la mer par une ouverture sous-marine. Le ressac qu'elle avait aperçu du haut de la colline provenait de là.

Elle traversa l'étang peu profond et, une fois sur la berge opposée, constata que la grotte se prolongeait loin dans le noir.

Miah arriva dans la grotte, suivi de Boulet et de Nappie.

Samek fit quelques pas sur sa gauche et découvrit une montagne de conques percées et vidées, des mâchoires de poissons et des ossements, probablement ceux de chèvres. C'était l'évidence même que des gens avaient vécu ici. Dans un recoin, elle trouva des arcs, des avirons et une sorte de hache.

Complètement absorbée par son travail, elle gravit une pente prononcée et se retrouva sur une large corniche. Une fois ses yeux adaptés à la pénombre, elle vit un tableau qui lui glaça le sang.

Un homme très grand était assis sur un siège cérémonial en forme d'âne, un *duhos*.

Il était vêtu d'une bure. Son visage se cachait dans les rabats du capuchon. Il semblait attendre, ses bras posés sur les accoudoirs. Samek aperçut ses mains et recula. C'étaient les mains squelettiques d'un cadavre vieux de plusieurs siècles.

Contrôlant l'effet de sa surprise, elle s'approcha et fit glisser le capuchon.

La tête de l'homme était celle d'une momie.

Une couronne de laiton reposait sur de longues tresses ocre. La peau cuivrée du visage était ratatinée et fendillée. En se desséchant, la peau des lèvres s'était retirée sur les gencives si bien que la momie semblait sourire.

Samek prit une profonde inspiration.

Elle souleva délicatement la couronne et l'examina.

— Incroyable ! murmura-t-elle, une couronne espagnole du quinzième siècle.

Avec respect, elle remit la couronne en place.

Elle fit quelques pas et aperçut, derrière le siège cérémonial, les contours d'un coffre en bois grossier. Ses lourdes ferrures ne tenaient que par la rouille.

Au même moment, Samek sentit un objet dur dans son dos. Elle se retourna. C'était l'arme de Nappie.

— Ouvre! ordonna-t-il.

Elle ne protesta pas. Elle était aussi curieuse que lui de connaître le contenu du coffre. Elle n'eut aucune difficulté à arracher les planches qui se désintégraient au moindre toucher.

Soudain, un déchirement se fit entendre. Tous se tournèrent vers la momie. Lentement, mécaniquement presque, sa tête se déchira de son torse, tomba sur ses genoux et dévala la pente jusque dans l'étang. Elle flotta quelques instants puis disparut, entraînée par quelque courant.

— On se croirait en plein Stephen King, dit Boulet.

— La ferme! cria Nappie.

Samek se pencha sur le coffre et en ressortit une boîte de chêne recouverte de cuir rouge sur lequel était appliqué un réseau de fils de fer. Il y avait quatre anneaux sur les côtés, une charnière sur toute la longueur et devant, une serrure en ivoire bordé de lames de cuivre finement ciselé. «Le coffret est lourd, songea Samek. Il est doublé de plomb pour en assurer l'étanchéité».

Nappie la bouscula et lui arracha le coffret des mains.

Il serra le coffret contre lui et le caressa nerveusement. Il émit un rire continu dont l'écho se répercuta dans la caverne.

Puis, il pointa son arme vers le groupe.

— Je savais que j'avais raison, dit-il. Maintenant, c'est le temps de mourir. On retrouvera vos corps dans deux siècles. *Adios*.

Il arma son fusil, épaula et, l'index sur la détente, visa Samek.

L'image de Samek sans vie traversa l'esprit de Boulet. Une peur aiguë tordit ses boyaux.

L'explosion mortelle était sur le point de retentir.

Sans hésiter, il s'élança vers Samek.

Une détonation assourdissante ébranla la grotte. Du sang éclaboussa le visage de Samek. Boulet, allongé contre elle, ne bougeait plus.

Soudain, la lumière du jour pénétra dans la caverne… la voûte s'effritait!

Des plaques de calcaire s'écrasèrent sur le sol en éclatant comme des grenades. Un énorme morceau de corail atteignit Nappie. Il s'écroula, assommé.

Samek se pencha sur Boulet qui reprenait conscience. Le sang pissait de sa jambe. Elle trouva une racine par terre et fabriqua un garrot. Miah vint la rejoindre.

— Vite, dit-elle, nous allons être enterrés vivants.

— Par la mer, fit Miah en indiquant l'étang.

Il s'approcha, souleva Boulet, le mit sur son épaule et se rendit à l'étang. Puis, il prit une profonde inspiration et plongea.

La voûte de la grotte se désintégrait, ses parois se crevassaient, s'effondraient.

Samek vit Miah disparaître sous l'eau et s'apprêtait à le rejoindre quand elle se souvint du coffret. Nappie, inerte, le tenait toujours dans ses bras. Mue par la compassion, Samek oublia le coffret et s'occupa plutôt de l'homme. À cet instant précis, la voûte entière se détacha d'un seul bloc et vint s'abattre sur eux.

Pendant ce temps, Miah émergeait au soleil, près de la plage où ils avaient laissé le *Scarrab*. Il tira Boulet vers le rivage, teintant l'eau pâle d'une traînée de sang. Il pensa aux requins et redoubla d'ardeur. Il atteignit la rive et allongea Boulet sur le sable.

Boulet réussit à se lever.

— Où est Samek? dit-il, inquiet.

Ils se tournèrent vers la colline.

Il n'y avait plus de colline. Elle s'était affaissée. «Samek n'a pas eu le temps de sortir», pensa Boulet avec horreur.

Il l'appela.

Seul le ressac lui répondit. Il s'avança vers les décombres de la caverne. Ce n'était plus qu'un vaste cratère.

Il crut entendre la voix de son amie. Une voix étouffée qui venait de la terre.

— Ici, ici, disait la voix.

Boulet s'approcha, l'oreille tendue, vers un talus de corail. Il se pencha et se mit à creuser frénétiquement.

Une main apparut. Puis un bras. Enfin, il put

voir Samek. Elle tenait Nappie par la main. Elle ne l'avait jamais lâché pendant l'éboulement.

— Vite, j'ai des puces de sable partout sur le corps, dit-elle.

Ils dégagèrent Nappie et le coffret qui reposait sous lui. Le forban revint peu à peu à la vie. Par miracle, il n'était blessé que dans son orgueil.

Samek refit le pansement de Boulet. Ils décidèrent de laisser Nappie sur Hog Cay. Tôt ou tard, des pêcheurs viendraient le secourir. Sans se retourner, ils prirent le coffret, montèrent à bord du *Scarrab* et s'éloignèrent de la baie.

Samek mit le cap sur la Floride.

* * *

Chapitre 15

Tel un barracuda, le *Scarrab* fendait les eaux vertes du Grand Banc des Bahamas. Si tout allait bien, il pénétrerait dans le port de Miami trois heures plus tard.

Soudain, les moteurs eurent des ratés.

— Sainte vache! lança Miah.

— Que se passe-t-il? demanda Samek.

Les moteurs rotèrent comme s'ils ne pouvaient plus avaler d'essence. Puis, ils s'étouffèrent définitivement.

Le *Scarrab* s'immobilisa sur les eaux calmes.

— Plus d'essence, dit Miah.

Boulet, étendu sur le plancher du bateau, blagua:

— Finalement, la *Pitoune* n'était pas si mal. Vive les yachts à guenilles!

Samek ne s'esclaffa pas. Elle s'effondra plutôt contre le volant.

Le *Scarrab* dérivait sur la mer peu profonde. Le fond de sable défilait à un demi-nœud. Il n'y avait pas le moindre îlot à cent milles marins de rayon.

Ils étaient perdus.

Samek pensa à Tshishemanitu mais elle était trop triste pour s'adonner à la spiritualité. Elle se pencha sur Boulet et s'agenouilla. Elle passa doucement sa main dans les cheveux de son ami.

Miah était debout sur le capot du yacht. Il lançait la petite ancre le plus loin possible en avant, la plantait dans le sable, puis tirait sur le câblot. Il répéta cette manœuvre des dizaines de fois. Elle faisait avancer le yacht à la vitesse d'un mètre à la minute. Ils toucheraient la Floride dans cent ans.

C'était du délire. Mais Miah ne renonçait jamais.

Boulet ouvrit les yeux. Dans un halo de lumière diffuse, il aperçut le coffret de la caverne.

— Ouvre-le... dit-il.

Samek, blottie contre lui, se tourna vers le coffret.

— Je m'en fous, fit Samek.

— Ouvre-le, maintenant! répéta Boulet.

Samek déposa le coffret au milieu du plancher, juste en face de Boulet. Miah vint les rejoindre et s'accroupit près d'elle.

Elle tenta par tous les moyens de l'ouvrir

sans l'abîmer. Sans succès. Elle trouva un vieux tournevis et s'en servit comme d'une clé. La serrure était bloquée depuis des siècles. Samek soupira. Elle devait se résoudre à la forcer. Elle plongea le tournevis dans la charnière et, d'un geste sec, la fit sauter. La serrure céda.

Il y eut un sifflement; l'air emprisonné dans le coffret réagissait à l'air du vingtième siècle.

Samek l'ouvrit.

Dedans, il y avait un livre. Un livre massif. Son couvercle et sa reliure étaient faits de cuir ciselé et embossé de dorures. Le cuir était usé, les dorures fanées.

Avec un soin maternel, Samek le retira du coffret.

C'était un livre usé d'amour, usé de voyages, usé de mains. Un livre de quotidien, un livre de jours et de nuits. Un outil confortable, un compagnon cher, une mémoire qui n'oublie pas.

Samek emplit ses narines du parfum doux et âcre qui émanait du livre. Un parfum de siècles.

Au bas de la couverture, une signature était brodée de fils d'or.

— *Christo Ferens. Christophe* dans le latin barbare qu'utilisait Colomb, expliqua Samek.

Elle souleva délicatement la couverture dont les muscles raidis par le temps grincèrent. Le cuir se creusa d'innombrables rides.

La première page était recouverte d'une ornementation graphique fébrile. C'était celle d'une écriture angoissée, maniérée et impulsive. L'écriture d'un homme quotidiennement confronté à l'inconnu. Une écriture de mer. L'écriture d'un marin qui craignait Dieu et encore plus les hommes.

Cristoforo Colombo.

Samek commença la lecture des premières lignes, telle une prêtresse devant un livre sacré.

— *In nomine Domini nostri Jhesu Christi... Nous partîmes le vendredi 3 août 1492, de la barre de Saltes, à huit heures du matin...*

Autour du *Scarrab*, c'était l'horizon plat, lointain, indistinct, une ligne floue où la mer se fondait dans le ciel. Un léger clapotis accompagnait la voix grave de Samek.

Elle arrêta sa lecture et leva les yeux vers ses amis.

— Le livre de bord de Colomb, dit-elle sans vraiment y croire.

Elle se pencha de nouveau sur le livre précieux. Quelque chose avait changé. Le livre prenait vie. Ses pages durcies par l'inanition changeaient de couleur. Le papier se tordait et se plissait. Sa tranche noircissait. L'écriture s'effaçait.

Le livre ne prenait pas vie, il prenait mort. Un cancer le rongeait à vue d'œil.

Une page se détacha et vint planer sur le plancher du bateau. Samek n'eut pas le temps de la récupérer. Le papier s'était déchiqueté en mille parcelles et ces dernières se transformèrent en une poudre grisâtre qui s'envola dans la brise légère.

Samek referma le livre qui grinça de nouveau. Elle le déposa dans le coffret et rabaissa le couvercle.

— Le livre se détruit au contact de l'air, dit-elle. Il faut l'ouvrir en atmosphère contrôlée. Elle rangea le précieux coffret sous le tableau de bord et revint vers Boulet.

— Excusez-moi, dit Miah, je ne comprends pas. C'est quoi ce livre ?

— Ce livre écrit de la main même de Colomb, expliqua Samek, contient des renseignements cruciaux sur ses découvertes, sur son lieu d'atterrissage, sur l'emplacement précis des mines d'or d'Hispaniola. Il nous apprend qui était vraiment Colomb, l'homme, le capitaine, le diplomate, l'explorateur, le serviteur de Dieu. Colomb, le fou, l'inquiet, le paranoïaque, le mythomane.

— Ah… fit Miah qui n'avait vraiment pas la tête à ces trucs-là.

— Voilà un demi-millénaire, poursuivit Samek, Colomb découvrait l'Amérique et en voici le témoignage le plus éloquent.

Boulet s'affaissa contre la coque de plastique. Sa plaie avait noirci. Ses chairs saignaient, séchaient, se fendillaient et saignaient de nouveau. Il suait et se déshydratait à mort.

Samek épongea son visage.

— C'est pas le temps de crever, dit-elle.

Miah sauta sur le capot du yacht, saisit l'ancre, la lança au loin et retira le câblot. Il recommença et recommença et recommença.

Samek se blottit contre Éphraise, son ami,

Boulet, son joueur de hockey préféré.

Miah cessa son manège et tendit l'oreille.

— As-tu entendu ? dit-il. On dirait un hélico. Un gros.

Le bourdonnement s'accentua, bien qu'il fût difficile de le localiser. Puis, un point blanc apparut à l'horizon en rasant la mer. Le point grossissait. Il se dirigeait droit sur le *Scarrab*.

Samek joignit Miah sur le capot du yacht et ensemble, ils agitèrent leurs bras pour attirer l'attention.

L'hélicoptère survola le yacht dans un tonnerre de vent et de moteurs. Il s'arrêta et fit du surplace une centaine de mètres plus loin. Il était blanc avec des barres rouges. Il était flanqué de gros flotteurs sur lesquels était écrit USCG en lettres rouge vif. C'était la garde côtière américaine.

Samek et Miah crièrent de joie. Ils allaient être sauvés.

L'appareil amphibie se posa sur la mer dans un nuage d'écume. La portière s'ouvrit. Un canot gonflable fut lancé à l'eau et deux hommes armés y prirent place. Ils ramèrent vers les naufragés et accostèrent contre le *Scarrab*. Ils se hissèrent à bord.

— Vite, dit Samek en montrant Boulet, il faut le soigner.

— Retournez-vous ! Mains sur la lisse, jambes écartées, ordonnèrent-ils.

— Mais… Samek était estomaquée.

Les soldats procédèrent à une fouille minutieuse des trois suspects.

Samek s'étranglait de fureur. Elle se tourna vers Miah.

— Mais que se passe-t-il ?

Ils fouillèrent Boulet, sans même se préoccuper de ses blessures. Puis, ils inspectèrent le bateau, les compartiments à essence, les moteurs, la coque. Un soldat découvrit le coffret sous le tableau de bord.

— Qu'est-ce qu'il y a là-dedans ? demanda-t-il.

— Faut pas ouvrir ça ! hurla Samek. Mais que faites-vous ? Qu'est-ce que c'est que cette mascarade ? Vous êtes censés nous sauver, pas nous arrêter !

Les soldats leur firent signe de descendre dans le canot gonflable. Miah et Samek y transbordèrent Boulet. Ils se rendirent à l'hélicoptère et s'engouffrèrent dans le cockpit.

L'appareil s'éleva au-dessus de la mer et s'envola. Samek jeta un dernier regard vers le *Scarrab* qui n'était plus qu'un point blanc.

Ils atteignirent la base une demi-heure plus tard.

Dès l'atterrissage, Boulet fut acheminé vers une ambulance.

Miah et Samek furent amenés dans un bureau où quatre hommes et une femme en uniforme les attendaient.

— Il est blessé lui aussi, protesta Samek en désignant Miah. Pourquoi ne l'emmenez-vous pas à l'hôpital ?

— Ça va, ça va, fit Miah. Je ne saigne plus et puis, je suis habitué. Ici, je ne suis pas Miah, je suis un criminel en puissance. Je suis un Noir.

L'un des officiers déposa le coffret sur la table. Ne se doutant pas qu'il abritait le livre de bord de l'Amiral de la Mer Océane, il s'apprêta à le défoncer à l'aide d'une pince-monseigneur, comme une vulgaire boîte de conserve.

— Ne faites pas ça ! cria Samek.

Elle se précipita vers le fonctionnaire. Mais deux hommes se saisirent d'elle et la maintinrent de force sur une chaise. Elle se débattit comme une tigresse.

Miah s'approcha des hommes, menaçant.

— On ne traite pas une femme de cette manière, proféra-t-il.

Mais l'officier sortit son pistolet et le braqua sur lui.

— Toi, un geste et je me fais plaisir.

Miah s'arrêta.

— Laissez-la tranquille, dit-il. Ce n'est pas de la drogue qu'il y a là-dedans.

— Le manuscrit va périr ! hurla Samek.

Le douanier sourit. Il plongea la pince au centre du coffret et, d'un coup sec, le fit éclater. Puis, il saisit le manuscrit de ses mains profanes.

Aux yeux de Samek, cet homme ne commettait pas un sacrilège, il était un sacrilège.

L'agent ouvrit le livre d'un geste machinal. Fort de son pouvoir, il cherchait le délit. Il allait coincer deux individus de couleur. Des étrangers.

La couverture de cuir s'effrita. Les pages se tordirent et se désintégrèrent en petits paquets de poudre grise.

L'officier tripota le manuscrit tant et si bien qu'en quelques minutes, le livre n'était plus que cendres. Comme un vampire au cœur transpercé par un pieu, le manuscrit retourna en poussière.

La bureaucratie avait tué l'éternité.

Des larmes de colère coulaient sur les joues de Samek.

— Génial, fit le douanier. De la cocaïne sous forme de livre.

Il mouilla son index et le plongea dans la poudre grise. Il goûta du bout des lèvres.

— Cela n'en est pas, dit-il, déçu. Bon, on n'a rien contre vous. Il faudra que vous alliez à l'Immigration pour un visa. Quant à toi l'Africain, si tu as de l'argent en espèces, tu pourras te faire soigner.

Il remit bêtement la poudre dans le coffret, le referma et le poussa vers Samek.

« Le livre de bord de Colomb… Détruit par un fonctionnaire… » se répétait Samek, clouée sur place par cette extraordinaire démonstration d'imbécillité.

Elle se leva sans hâte et poignarda d'un regard terrible les yeux sans âme du fonctionnaire.

Elle tourna sur ses talons et sortit avec Miah.

Boulet était à l'hôpital depuis une semaine. Les chirurgiens avaient accompli des merveilles avec sa jambe. Ils en avaient même profité pour joindre ses tendons à une toute nouvelle rotule. Une invention américaine.

Miah était reparti chez lui, à Duncan Town pour organiser la reconstruction de son village. De plus, la saison de pêche allait débuter et il voulait s'acheter un nouveau bateau.

Samek passa son temps entre l'hôpital et la faculté d'archéologie de l'Université de Floride à Miami.

Ce matin-là, elle était de belle humeur. Boulet aussi.

— Salut beauté! lança-t-elle en entrant dans la chambre.

Elle se pencha et lui offrit un baiser sonore. Puis, elle s'assit à ses côtés.

— Le professeur de Monte Christi a réussi à nous blanchir des accusations portées contre nous en République Dominicaine, dit-elle.

— Ah bon?

— J'oubliais, fit Samek. Elle tendit à son ami la carte de crédit que Nappie avait utilisée.

— Tu penses vraiment à tout, dit Boulet en riant.

Samek ne répondit pas. Elle sortit de son sac un objet enveloppé d'un mouchoir blanc. Elle le dévoila cérémonieusement.

C'était le médaillon trouvé dans le sépulcre de Colomb. Après l'avoir repris à Nappie, elle ne s'en était jamais départie. Elle l'avait fait expertiser à l'université.

— L'objet a appartenu à la famille royale

d'Espagne, expliqua-t-elle. C'est un bijou féminin transformé en médaillon de ceinture. J'aime à croire que la reine Isabelle de Castille en fit don à son intrépide marin, Colomb.

— Isabelle ? Elle a été amoureuse de Colomb ?

Samek hocha la tête.

— Ce médaillon que Colomb a emporté avec lui dans la mort était le symbole de l'amour qu'il vouait à sa reine; un amour de mer et de ciel, un amour d'horizons infinis.

Elle sourit et tendit le médaillon à son ami.

— Je te le donne.

Il referma sa main sur celle de Samek.

Il y avait dans leur regard comme un murmure de rires complices.

* * *

Note de l'auteur

La dépouille de Colomb a effectivement été transférée de Valladolid à Las Cuevas, ensuite à Saint-Domingue puis à la Havane et, enfin, à Séville. De plus, il est vrai qu'un médecin américain a analysé les restes découverts sous l'autel de la cathédrale de Saint-Domingue. Il a conclu que ces restes pouvaient appartenir à Colomb et à un autre homme.

Certains auteurs, dont Gianni Granzotto, croient que la dépouille de Colomb n'a jamais quitté le monastère de Valladolid. Au cours de notre siècle, un bar-restaurant a été érigé sur les ruines de ce monastère. Il est donc possible que la dépouille de Colomb gise actuellement sous une table de billard, dans les ruines d'un ancien monastère.

ÉCHOS
une collection à trois niveaux

Spécialement pensée pour vous adolescents, la collection ÉCHOS vous propose trois niveaux de lecture, aux difficultés variables, spécialement adaptés à vos goûts et à vos préoccupations.

- Niveau I :   12 ans et plus
- • Niveau II :   14 ans et plus
- • • Niveau III : pour les jeunes (et moins jeunes) adultes

(Ces références sont données à titre indicatif, le niveau de lecture variant sensiblement d'un lecteur à l'autre.)

La collection ÉCHOS met en évidence tout le talent et le dynamisme des écrivains de chez nous. Elle propose plusieurs genres et plusieurs formes afin que chaque lecteur puisse y trouver de quoi combler ses préférences : romans, contes, nouvelles, science-fiction, aventures, histoire, humour, horreur, mystère... au choix de chacun !

Reflet de notre époque, la collection ÉCHOS espère être le prétexte à un partage privilégié entre différentes générations.

COLLECTION ÉCHOS

Niveau I (12 ans et plus)

Un été en ville par Odette Bourdon
La chasse aux vampires par André Lebugle
Drôle de Moineau par Marie-Andrée Boucher Mativat,
(prix Desjardins 1992)

Niveau II (14 ans et plus)

L'empire chagrin par Camille Bouchard
Pleine crise par Claudine Farcy
Le paradis perdu par Jean-Pierre Guillet
Le Gratte-mots par Marie Page
Le cercle de Khaleb par Daniel Sernine, (prix Logidec 1992)
Ludovic par Daniel Sernine
Elisabeth tombée au monde par Marie-Andrée Warnant-Côté

Niveau III (jeunes adultes)

L'Atlantidien par Pierre Chatillon
Ailleurs plutôt que demain par Laurent Lachance
Colomb d'outre-tombe par Michel Savage